El método Seignalet para cada día

ANNE SEIGNALET

El método Seignalet para cada día

integral

CONTENIDO

¡COME CRUDO!   32

A FUEGO SUAVE 136

LOS RESULTADOS 192

¿Qué es la dieta Seignalet?

Desde hace veinte años, el método Seignalet ha sido utilizado con éxito por miles de personas gracias a su extraordinaria eficacia contra el dolor y las enfermedades crónicas. Además de la obesidad y las enfermedades cardiovasculares, atribuidas desde siempre a una mala alimentación, el doctor Seignalet ha demostrado que el principal factor ambiental de muchas otras dolencias crónicas es, de hecho, lo que comemos hoy en día. En estas páginas pretendemos exponer los grandes principios teóricos y prácticos de esta dietética revolucionaria.

PARA SABER MÁS...

Dr. Jean Seignalet, *La alimentación, la tercera medicina*, RBA, 2016.

Dr. Dominique Seignalet y Anne Seignalet, *Comprendre et pratiquer l'alimentation ou la troisième médicine*, Éditions François-Xavier de Guibert, 2013.

Valerie Cupillard y Anne Seignalet, *Le régime Seignalet en 60 recettes*, Prat éditions, 2014.

10 buenas razones para probar la dieta Seignalet

1 La dieta es eficaz para combatir distintos males y enfermedades crónicas.

2 No tiene ningún coste y podrás comprobar su eficacia por ti mismo.

3 Es una dieta alimenticia equilibrada, que no conlleva peligro alguno ni produce carencias.

4 Es compatible con la medicación convencional y se combina también a la perfección con las terapias naturales.

5 A medida que la dieta se revela efectiva, permite reducir, de acuerdo con tu médico de cabecera, el consumo de medicamentos.

6 Optimiza las capacidades inmunológicas del organismo y otorga una mayor resistencia contra los virus y las bacterias.

7 No tiene efectos secundarios y puede interrumpirse en cualquier momento.

8 Aumenta el estado de ánimo y el rendimiento de los deportistas.

9 La cocina hipotóxica es fresca, digestiva y saciante. La dieta no se basa en la cantidad, sino en la calidad de los alimentos.

10 A menudo permite, tras un periodo de adelgazamiento, estabilizar el peso.

Evolución

Medicina global

Una visión global de la medicina permite conectar elementos aparentemente dispares y comprender hasta qué punto una alimentación inadecuada puede ser perjudicial para nuestra salud. Combinando el conocimiento actual de la biología y la genética, el doctor Seignalet, brillante inmunólogo, pudo describir con detalle en su obra *La alimentación, la tercera medicina* los mecanismos complejos que ciertos alimentos que ingerimos de manera habitual desencadenan en muchas personas. Demostró por qué y cómo ciertas moléculas de los alimentos actuales pueden, junto a otros factores, ser el origen de varios tipos de enfermedades crónicas.

Un estudio clínico realizado con 2.500 pacientes confirmó el increíble potencial terapéutico de una alimentación de tipo ancestral. El 70 % de los pacientes consiguieron mejorar su estado de salud adoptando esta dietética. Esta nueva manera de alimentarse supone una ventaja adicional para curar las enfermedades que han surgido a raíz del estilo de vida actual, ante las cuales la medicina y la dietética clásicas han demostrado ser, por ahora, ineficaces (para saber las numerosas afecciones para las cuales el régimen se ha revelado eficaz, consulta el capítulo «Los resultados»).

Hipotóxica

La alimentación nos vincula desde un punto de vista biológico a nuestro entorno, en particular a las especies vivas que consumimos. Nos integramos con ellas absorbiendo los nutrientes que nos proporcionan a través del intestino. Estrictamente hablando, la alimentación nos constituye. Proporciona la energía y la materia de las que estamos hechos.

Durante millones de años, el hombre, como las demás especies, ha adaptado sus capacidades de digestión y de asimilación a las moléculas naturales que lo rodean. Pero recientemente se han introducido en nuestra dieta diaria una gran cantidad de moléculas inadecuadas o desnaturalizadas. Para algunas personas estas moléculas de los alimentos son totalmente indigestas. A la vista de estas conclusiones científicas, Jean Seignalet ha elaborado una dieta alimenticia hipotóxica cuyo objetivo es proteger el intestino, órgano clave para la salud, excluyendo aquellos alimentos que resultan a menudo indigestos. De esta manera, el cuerpo está en las mejores condiciones de absorción y funcionamiento gracias a una alimentación digerible, equilibrada y sin excesos.

Adaptación

La alimentación en el seno de la medicina

Algunos de nosotros, por nuestras particularidades genéticas, no logramos adaptarnos a las grandes variaciones que se están produciendo en la actualidad en nuestro entorno alimentario. Por ello, la alimentación de hoy en día puede ser el origen de patologías crónicas. El simple hecho de cambiar la forma de alimentarnos nos permitirá resolver una de las principales causas de la enfermedad y, bastante a menudo, frenar su desarrollo.

El intestino:
todo empieza aquí

El intestino digiere los alimentos. Contiene herramientas para diseccionarlos, las enzimas, y está poblado por millones de bacterias amigas que contribuyen a la digestión, la flora intestinal.

A continuación, el intestino actúa como un filtro de tamiz muy fino; a través de sus finas paredes absorbe los nutrientes que luego pasan a la sangre.

Existen personas con cierta predisposición genética que hace que sus enzimas intestinales no puedan procesar una gran cantidad de los alimentos actuales. En estos casos, la presencia continuada de alimentos mal digeridos puede convertir el filtro intestinal en un auténtico colador. Es el primer eslabón del mecanismo de muchas enfermedades.

Intestino sano

ALIMENTOS ADECUADOS PARA LAS ENZIMAS

Las enzimas intestinales
fragmentan los alimentos
en moléculas simples:
los nutrientes.

LA FLORA INTESTINAL ESTÁ EQUILIBRADA

Los nutrientes son lo
suficientemente finos
para ser absorbidos a
través del filtro intestinal.

PARED INTESTINAL SANA

Las células
sanguíneas extraen
los nutrientes y los
transportan allí
donde el organismo
los necesita.

Intestino hiperpermeable

ALIMENTOS NO ADECUADOS PARA LAS ENZIMAS

Las enzimas no consiguen
cortar correctamente unas
moléculas que no tienen
la forma adecuada. Como
resultado, se acumulan
fragmentos demasiado
grandes en el intestino.

PARED HIPERPERMEABLE

Las grandes moléculas
nocivas que pasan a la sangre
desencadenan distintos
mecanismos patológicos.

LA FLORA INTESTINAL NO ESTÁ EQUILIBRADA

El intestino irritado está debilitado. Deja pasar
grandes trozos de moléculas mal digeridas.

3 mecanismos para 91 enfermedades

Cuando la barrera intestinal se ha vuelto permeable, grandes moléculas nocivas pueden atravesarla. Jean Seignalet ha identificado tres tipos de mecanismos que estas moléculas pueden desencadenar cuando llegan a la sangre.

MIGRAÑAS
DIABETES TIPO 2
FIBROMIALGIA
HIPERCOLESTEROLEMIA

ARTROSIS
HIPOGLICEMIA
SOBREPESO

DEPRESIÓN
ESPASMOFILIA
ANGINA DE PECHO

TENDINITIS
OSTEOPOROSIS
DISPEPSIA

ENFERMEDAD DE CROHN
GASTRITIS
ACNÉ

SINUSITIS CRÓNICA
BRONQUITIS CRÓNICA
RINITIS CRÓNICA

FIEBRE DEL HENO
ASMA
DERMATITIS ATÓPICA

REFLUJO GASTROESOFÁGICO
PSORIASIS
CEFALEA TENSIONAL

CONJUNTIVITIS ALÉRGICA
URTICARIA
INFECCIONES ORL REPETITIVAS

POLIARTRITIS REUMATOIDE
ESPONDILOARTRITIS ANQUILOSANTE

REUMATISMO INFLAMATORIO
SEUDOPOLIARTRITIS RIZOMÉLICA

ESCLEROSIS EN PLACAS
LUPUS ERITOMATOSO DISEMINADO
SÍNDROME DE GOUGEROT-SJÖGREN

MECANISMO DE ENSUCIAMIENTO

Los desechos se acumulan en el intestino y las moléculas nocivas vagan por el organismo. Ensucian el medio intra y extracelular y dificultan la comunicación de las células entre ellas. Provocan las llamadas enfermedades de ensuciamiento: diabetes tipo 2, tendinitis, párkinson, osteoporosis...

MECANISMO DE ELIMINACIÓN

El cuerpo intenta expulsar estas moléculas a través de distintos emuntorios (piel, intestino, bronquios...). Son las enfermedades de eliminación: Crohn, acné, afecciones ORL repetitivas, aftosis...

MECANISMO AUTOINMUNE

El organismo activa su sistema inmunológico para intentar destruir esas moléculas demasiado voluminosas. En opinión del doctor Seignalet, las enfermedades autoinmunes en realidad son, en muchos casos, de origen ambiental.

Curarse con la alimentación

1. Restaurar la barrera intestinal

Eliminando los alimentos inadecuados, el intestino restaura su flora, alivia la inflamación y recupera su función correcta de filtro. De esa manera, las moléculas nocivas no pueden penetrar en el organismo y se pone freno de manera anticipada a los primeros eslabones que desencadenan la enfermedad.

2. Eliminar

Una vez que el intestino esté recuperado, el cuerpo tendrá que eliminar, a través de distintos emuntorios, las moléculas que se han acumulado en el organismo. Durante este periodo de depuración, pueden producirse fenómenos desagradables (insomnio, diarreas, caspa, migrañas...), así como una agravación pasajera de los síntomas, que debe vigilarse en el caso de las personas frágiles y debilitadas. Una vez el cuerpo esté desintoxicado, se empezará a notar la mejoría.

3. Tener paciencia

Uno de cada dos pacientes reacciona bien a este método, lo cual son excelentes noticias para las personas que sufren enfermedades hasta ahora consideradas incurables. Los beneficios empiezan a notarse al cabo de cierto tiempo, entre algunos meses y un año. En general, estos suelen ser notorios y definitivos, y a menudo permiten, siempre de acuerdo con el médico de cabecera, disminuir la medicación.

4. Evitar las desviaciones

Al principio hay que evitar hacer excepciones en la dieta, pues esto puede obstaculizar su eficacia. Pero en cuanto estén bien logrados e instaurados sus beneficios, podrás incluso reintroducir de manera progresiva ciertos alimentos, y tú mismo constatarás si los toleras bien o no.

Los principios alimentarios

Eliminar

Durante mucho tiempo, la alimentación de *Homo sapiens* estuvo constituida por productos naturales no elaborados. La aparición de la agricultura y la ganadería, en el Neolítico, y más adelante la industrialización de la alimentación, hace apenas cincuenta años, son la causa de que hayan surgido muchas moléculas nuevas en nuestra dieta diaria.

Mutaciones aceleradas

El trigo actual está compuesto de veintiún pares de cromosomas, una cantidad sustancial en comparación a los siete pares que tenía en tiempos de nuestros ancestros cazadores recolectores. El maíz ha pasado de medir dos centímetros y medio en estado silvestre a los casi seis metros de altura que mide ahora.

Hábitos recientes

Ningún animal salvaje consume la leche materna de otra especie; está específicamente adaptada a su prole. No es de extrañar, por tanto, que algunos humanos no se adapten a la leche de vaca.

Deformaciones celulares

Las cocciones a altas temperaturas deforman la estructura de los alimentos generando nuevas moléculas: ácidos grasos trans, carbolinas y moléculas de Maillard, que son imposibles de romper, ni siquiera con lejía.

LOS FUNDAMENTOS

El doctor Seignalet indica excluir de la dieta tres tipos de alimentos:

- **Cereales mutados.** Trigo, maíz, centeno, avena, mijo, kamut, espelta, espelta pequeña, cebada y cualquier alimento que contenga alguno de estos cereales.

- **Productos lácteos.** La leche y cualquier producto lácteo animal en cualquiera de sus variantes: leche, yogur, queso, nata, mantequilla...

- **Productos demasiado cocinados.** Las cocciones a alta temperatura, sobre todo las grasas (fritos, cacahuetes tostados...) y las carnes (parrilladas, ragús...).

Diversificar

El principio de la dieta Seignalet es eliminar los alimentos indigestos y aportar a nuestro organismo todo lo que necesita. Hay 4 tipos de nutrientes que constituyen la base del equilibrio alimentario.

Vitaminas y minerales. Se obtienen de las frutas y verduras. Los vegetales proporcionan sobre todo calcio en cantidad suficiente y en una forma fácil de asimilar.

Proteínas. Se obtienen de la carne, el pescado, los huevos y el marisco, y también de algunas proteínas vegetales. Es una gama completa de aminoácidos.

Carbohidratos. Se obtienen de la patata, la quinoa, las legumbres secas, el arroz... Ideales cuando hay que hacer esfuerzos, para saciarse y para darse un gusto.

Lípidos. Se obtienen de los aceites, las semillas y los frutos oleaginosos, los pescados grasos o los aguacates, por ejemplo. Son los preciados ácidos grasos como el omega 3 y 6.

El carácter nutritivo natural de nuestros alimentos se ha empobrecido de manera considerable en las últimas décadas. Haz alguna cura de vitaminas y de minerales, especialmente magnesio, todos los años.

Los ingredientes

La cocina hipotóxica es sencilla, sabrosa y variada a la vez. Con una despensa bien provista e ingredientes básicos de calidad, podrás disfrutar de tu alimentación respetando el equilibrio nutricional.

Los principios

Adapta

Si te gusta cocinar, podrás elaborar tus recetas clásicas preferidas simplemente adaptándolas a los ingredientes indicados y a una cocción respetuosa.

Aprecia

El placer que te producirá asociar los colores, las texturas y los sabores te guiará a la hora de crear tus platos. Poco a poco apreciarás los alimentos frescos y de calidad.

Sustituye

La soja, el arroz, la quinoa y el coco proporcionan leches vegetales, yogures, natas, harinas, polvos y copos que pueden sustituir a los convencionales en tus preparaciones. En tiendas de alimentación natural puedes encontrar también tostadas crujientes y tortas con las que reemplazar las galletas y tostadas habituales de la mañana.

Descubre

Si deseas profundizar en el tema, en algunos libros de recetas de cocina y en algunas páginas de internet encontrarás muchas pistas interesantes para comer «sin». El arte culinario está en plena renovación. Aprovecha esta tendencia para inspirarte.

Las bases

Estos alimentos cubren todas nuestras necesidades y nuestros deseos. Y si son de proximidad, de temporada, ecológicos y están en su punto idóneo de maduración, ¡mucho mejor!

1. FRUTAS Y VERDURAS

2. SEMILLAS, FRUTOS SECOS Y ACEITES

3. LEGUMINOSAS Y LEGUMBRES SECAS

4. CARNES, HUEVOS, PESCADOS Y MARISCOS

ALGUNOS CONSEJOS

Las conservas de verduras pueden resultar muy útiles, sobre todo las de legumbres. Lo mismo ocurre con los productos congelados. Pero es importante que leas la composición en las etiquetas. Los productos «sin gluten» a menudo contienen maíz, que se debe evitar. Y ciertas bebidas contienen proteínas de cereales mutados, como la leche de avena o la cerveza.

La despensa

Los aderezos

Son fundamentales. Ligan las combinaciones de ingredientes que hayas escogido. Crea tu despensa básica: tus aceites de calidad preferidos; los vinagres que más te gusten (de vino, balsámico, de manzana, de frambuesa...); sal sin refinar (como, por ejemplo, la flor de sal) de calidad; una buena pimienta (verde, negra, roja, la que más te guste) y otras especias, y también frutos secos (almendras, nueces, avellanas, pistachos) y semillas (girasol, pipas de calabaza, sésamo, chía, piñones...). No te olvides de los alimentos ricos en nutrientes sulfurosos, como el ajo, las cebollas blancas, rojas o amarillas, el cebollino... Y, según tu gusto, por qué no salsa tamari (en vez de la salsa de soja, que contiene gluten), miel, tomates secos, alcaparras, pepinillos, limones...

Hazte también con un buen surtido de hierbas aromáticas. Decántate por las especias y las hierbas secas ecológicas, si es posible. A menudo, los productos de especiería secos son irradiados para que se conserven más fácilmente. Ese tratamiento no se suele indicar en la etiqueta o en los embalajes cuando se venden al por menor, sino en los embalajes de venta al por mayor. Para asegurarte de que tu producto no haya sido irradiado, opta por los productos ecológicos, tanto para el tomillo y la cúrcuma como para los dátiles y los orejones.

Las leches vegetales

Están indicadas para las salsas y las cremas blancas. Las semillas y los frutos secos oleaginosos en forma de puré (crema de almendras, de sésamo, de avellanas...) permiten sustituir a la nata y la mantequilla en un sinfín de recetas. Las pastas son de una consistencia más o menos fina. También encontrarás bloques de crema a base de almendra, de soja o de coco, así como yogures y bebidas envasadas de los mismos ingredientes básicos. Utiliza también leche de avellana y horchata (sin leche de vaca). No obstante, descarta la leche de avena y sus derivados, ya que la avena es un cereal mutado que impide los efectos beneficiosos de la dieta, como ocurre con el maíz, que sin embargo no tiene gluten.

También puedes elaborar tu propia leche. Deja los frutos secos crudos pelados en remojo toda la noche. A la mañana siguiente, enjuágalos y pásalos con la batidora mezclados con agua. Solo tendrás que filtrar tu preparación con un tamiz limpio y ya podrás degustar tu leche vegetal.

Las harinas y féculas

Para elaborar galletas, crepes o pasteles, deben ser a base de arroz (la más neutra), trigo sarraceno, garbanzo o castaña. Hay féculas a base de patata o de tapioca y de almendra en polvo o coco.

En cuanto al pan, que es sin duda lo más difícil de elaborar sin trigo, encontrarás recetas en este libro. El psyllium, la goma xantana o el cártamo sirven de aglutinante y hacen que la masa crezca. Tendrás que seguir bien las indicaciones de las recetas, ya que la masa sin gluten es más quebradiza y le cuesta subir.

Podrás encontrar productos alternativos en cualquier tienda de comestibles ecológicos, pero pide información y lee las etiquetas con detenimiento para eliminar los productos que sean incompatibles con tu dieta, puesto que los panes «sin gluten» que hallarás en tiendas a menudo contienen harina de avena o harina de maíz, y ninguna de ellas son compatibles con la dieta del doctor Seignalet. Evítalos, puesto que una pequeña desviación en la dieta impedirá los beneficios de la misma. En cambio, la presencia de almidón de maíz, que suele encontrarse en este tipo de preparaciones, no es un problema, ya que se trata de un azúcar. Lo que debe eliminarse son las proteínas de maíz.

Sustituye asimismo las pastas de trigo por las que están hechas a base de arroz o trigo sarraceno. También debes asegurarte de que no contengan trigo, maíz, espelta, mijo, cebada, avena o kamut.

En tiendas especializadas encontrarás tostadas crujientes elaboradas con castañas o trigo sarraceno con las que sustituir los biscotes. Desmigajadas sobre una ensalada le darán un toque crujiente a tu plato.

Las referencias a «almidón de maíz» o a «jarabe de trigo» designan azúcares que proceden de esos cereales, que, sin ser deseables, no interfieren en el funcionamiento correcto de la dieta. Puedes consumirlos sin problema.

Al principio puede ser difícil prescindir del pan. Para ayudarte a eliminar este alimento de tu dieta, hay a tu disposición toda una gama de féculas sabrosas para acompañar tus platos:

- Las leguminosas (lentejas, garbanzos, judías), que eventualmente pueden venir en conserva «al natural» (comprobar los ingredientes).

- El arroz, de distintos tipos según tu gusto: basmati, mediterráneo, redondo para los risottos y el arroz con leche (vegetal).

- La quinoa, la joya nutricional de los incas, tanto para elaborar platos salados como dulces.

- Las patatas, hechas al vapor o pasadas en puré, son un excelente aliado para dar consistencia a cualquier guiso de verduras.

- Y... ¿conoces los boniatos?

ATENTOS A LAS ETIQUETAS

Solemos fijarnos en las fechas de caducidad de los productos frescos, y, en cambio, es más raro que estemos pendientes de las fechas de caducidad de los productos secos. Sin embargo, el frescor de un arroz no será el mismo si ha sido envasado el mismo año o hace tres años. Así que ¡curiosea un poco!

Los aceites

Escoge siempre aceites de primera presión en frío y preferiblemente ecológicos. Los aceites clásicos se extraen después de la evaporación de un disolvente llamado hexano. Es mejor prescindir de él, si es posible.

Los aceites poliinsaturados ricos en ácidos grasos omega 3 y 6 son particularmente sensibles a la oxidación y al calor. Cómpralos en envase pequeño y consérvalos al abrigo del calor y de la luz directa, por ejemplo, en la nevera.

El aceite de oliva es un aceite básico excelente. Es perfecto tanto para los platos crudos como cocinados: resiste a temperaturas bastante altas sin mutar ni generar moléculas tóxicas. En crudo, es un aporte de omega 9, unos ácidos monoinsaturados muy preciados, y se ha demostrado sus efectos beneficiosos en la prevención de las enfermedades cardiovasculares y del sistema inmunológico. Que no falten en tu despensa, además del aceite de oliva, otros aceites crudos para elaborar aliños (de nuez, para el omega 3, y avellanas, para el omega 6, por ejemplo), que te sacarán de la rutina. Existen muchos otros que puedes investigar, como el aceite de lino, de borraja, de cáñamo... ¡Despierta tu curiosidad! Mejor cómpralos en envase pequeño, porque estos aceites hay que consumirlos rápidamente, y no hay que calentarlos.

Para las cocciones escoge el aceite de cacahuete o de coco, que, igual que el aceite de oliva, aguantan mejor el calor. De manera puntual puedes consumir grasa de oca y de pato, que han demostrado sus beneficios en las enfermedades cardiovasculares.

Prescinde por completo de las margarinas, que pasan por la hidrogenación, generadora de moléculas que el organismo no reconoce.

Los azúcares

Escoge un azúcar lo menos refinado posible, y preferiblemente ecológico. Cuanto más blanco sea, más refinado será. Escógelo en función de tus gustos y del uso que le vayas a dar: de caña (el más completo posible), o mascabado, rapadura... Por el contrario, el azúcar blanco no es un producto recomendable, pero añadir un poco de azúcar blanco al café no entorpecerá el proceso de la dieta. En cambio, la galletita que te ponen en el platito, sí. Está demostrado.

Cuando se cuecen a altas temperaturas, los azúcares producen moléculas indigestas que contribuyen a debilitar el intestino. Por ello, elimina de tu dieta los productos caramelizados y decántate por las mermeladas elaboradas a baja temperatura; escoge las cremas frescas, y huye de las cremas cocidas y azucaradas en exceso, como ciertas mantequillas de cacahuete. Opta por una crema de cacahuete ecológica y sin azúcares añadidos. También puedes elaborarla en casa.

Otro azúcar excelente para la salud es la miel, a pesar de que su índice glicémico sea de los más altos. El jarabe de agave y el de arce ofrecen variantes igual de placenteras.

Y ¿qué decir de las conservas?

El consumo de conservas está permitido en la dieta Seignalet, en la medida en que el producto sea crudo o vegetal. En cambio, las conservas que también contienen grasas o caldos de carne muy cocidos deben excluirse de la dieta. Por suerte, en el mercado cada vez encontramos más conservas cocidas al vapor.

castaña	avellanas
almendra	almendras
trigo sarraceno	girasol
frutos secos y semillas	piñones...

chocolate negro
frutos secos
sirope de agave
miel...

especias
condimentos
hierbas
aromáticas

LA DESPENSA DE SABORES

yogur
de soja

crema de soja
crema de arroz
crema de coco...

AGLUTINANTES

agar-agar
goma guar

FÉCULAS

patata
tapioca
mandioca
arrurruz...

«AYUDANTES» DE COCINA

UNA VARIEDAD PARA CADA RECETA

Cuando vayas de compras, aprovecha para descubrir las distintas calidades de los alimentos. Por ejemplo, existen muchas variedades de patata o de arroz, cada una adecuada para un plato distinto. El arroz bomba, redondo y con gran capacidad de absorber los sabores, no tiene nada que ver con el arroz basmati, suelto y aromático por sí mismo. Y para una ensalada de patata, te decantarás por la variedad Amandine, mientras que para un puré la variedad Bintje será más adecuada.

Los sabores

La dieta hipotóxica es sana y equilibrada. Ofrece una gran variedad de platos con sabores muy diversos. Permite reconectar con los aromas y las texturas naturales de los alimentos, despertar las papilas gustativas y recuperar nuestros deseos genuinos.

¡DIVIÉRTETE!

Juega con el color de tus platos. A menudo la diversidad de colores se corresponde con una diversidad de nutrientes.

Organiza tus menús incorporando frutas y verduras en parte crudos, grasas saludables, un alimento feculento y una proteína.

Para dar un toque crujiente y nutritivo, añade pipas de girasol a tus platos.

Al principio, prepara crepes o gofres, que se hacen en un santiamén, para matar el gusanillo y llevarte a una salida o excursión.

Amplía la variedad de mayonesas y vinagretas variando los ingredientes.

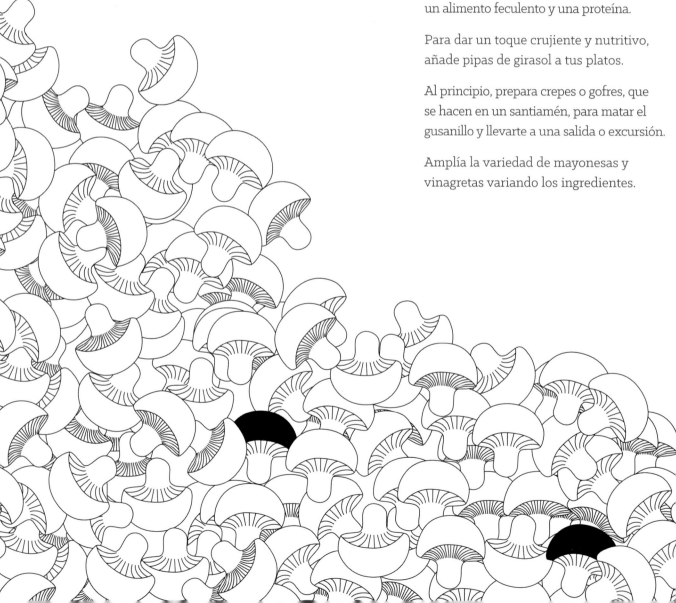

Dulce

MOUSSE DE CHOCOLATE

MACEDONIA DE FRUTAS

AVELLANAS

QUINOA CON PASAS

SORBETE DE FRESA

BATIDO VEGETAL

CREPES

CARPACCIO DE NARANJA

ALMENDRAS

ARROZ CON LECHE VEGETAL CON AROMA DE VAINILLA

COMPOTA DE MANZANA Y PERA

PASTEL DE ALMENDRA

Salado

PISTO

PURÉ DE PATATAS

CARPACCIO DE BUEY

CHILI CON CARNE

CORIANDRO

LENTEJAS ROJAS CON LECHE DE COCO

SOPAS

JUDÍAS VERDES CON PEREJIL

PATATA

QUINOA

DIPS DE VERDURAS

CARNE TÁRTARA

ACEITE DE OLIVA

CABALLA MARINADA

ENDIVIAS Y MANZANAS CON NUECES

GARBANZOS

CHAMPIÑONES

ENSALADAS

COLESLAW

GUACAMOLE

CANÓNIGOS CON PIÑONES

LENTEJAS

MEJILLONES A LA MARINERA

ARROZ

SALMÓN

PURÉ DE BRÓCOLI

PEREJIL

SOLOMILLO AL VAPOR

CANGREJO CON MAYONESA

Reinventa tu desayuno

Puedes inventarte el desayuno a tu medida, aunque cuando se está siguiendo la dieta Seignalet, es habitual no tener hambre por la mañana. Escucha y respeta tus necesidades, y en todo caso, ten preparado un pequeño tentempié para media mañana. Contempla comer algo graso para ralentizar la absorción de azúcar y evitar el hambre canina típica de las once.

A continuación te damos algunas ideas:

Desayuno clásico

Puedes tomar infusiones, achicoria, y también café y té (sin abusar). A los niños les encantará un chocolate caliente preparado con leche vegetal. El pan o los biscotes «sin», untados de una crema de frutos secos oleaginosos, miel o crema de chocolate serán la alternativa a las clásicas tostadas.

La tortita de la mañana

Prepara una pequeña crepe rápida con una base de harina de arroz con o sin otra harina (de castaña, de trigo sarraceno, de garbanzo...), tipo panqueque, salada o dulce.

Super bowl

Según el modelo de la crema Budwig (a base de queso fresco y aceite de lino), eliminando el lácteo, elabora un bol completo con una base que puede ser yogur vegetal, macedonia de fruta o compota, a la que se le añaden semillas y nueces, copos de arroz o de trigo sarraceno, fruta cortada, azúcar de buena calidad o frutos secos (dátiles, pasas...). Es rápido de hacer, sacia y es sano. Puedes inventarte tu receta favorita.

¡Salado!

¿Que prefieres algo salado? Por supuesto, ¡satisface tus deseos! Prueba un aguacate con un poco de jamón serrano o un huevo pasado por agua, un zumo de verduras, una ensalada mixta...

Evita los zumos envasados, pues contienen acidulantes y azúcar en exceso. Es preferible que te comas directamente una pieza de fruta o que exprimas el zumo en el momento. Contrariamente a lo que nos han dicho, el limón es alcalinizante, mientras que el zumo de naranja es acidulante.

ACHICORIA

HUEVO PASADO POR AGUA O JAMÓN SERRANO

TORTA DE TRIGO SARRACENO

ENSALADA DE LA HUERTA

DÁTILES

CAFÉ

TOSTADA DE QUINOA CON MIEL

FRUTA

YOGUR DE SOJA

ZUMO DE FRUTA

COPOS DE ARROZ CON LECHE VEGETAL

AVELLANAS

FRUTOS ROJOS

TÉ

ARROZ CON LECHE VEGETAL

COMPOTA

PRUEBA TAMBIÉN LA CREMA BUDWIG «SIN»

Y para picar...

Para no sucumbir a tentaciones nocivas, más vale haber preparado con antelación los tentempiés y las meriendas.

Si no quieres cocinar, los frutos secos en general y los oleaginosos en particular son un recurso sencillo y apetitoso para matar el gusanillo. Los plátanos y las manzanas siempre caben en la bolsa; añádeles algunas avellanas o almendras, un poco de chocolate negro y algunos dátiles u orejones, ¡y listo!

Para algo más elaborado, he aquí unas cuantas ideas que puedes preparar tú mismo: dips de verduras acompañados de tapenade o humus, chips de frutas o de verduras deshidratadas (¡sobre todo sin freír!), charcutería cruda, anchoas, mejillones, pulpitos, aceitunas, semillas sin tostar que puedas aromatizar o salar tú mismo... Con las tarrinas y los pinchos obtendrás mil y una maneras de cuidar las presentaciones de tus platos. En la página 43 te hablamos de las posibilidades de los wraps o rollitos. Y también puedes elaborar pequeños blinis con harina de arroz y de trigo sarraceno, por ejemplo.

Los frutos secos, incluyendo los oleaginosos, son ideales para hacer preparaciones sanas y deliciosas con la batidora. Si los enrollas y los metes en la nevera, obtendrás unas bolas de energía saciantes fáciles de transportar en una fiambrera hermética. De todos modos, asegúrate de que no contengan copos de avena, que están excluidos de la alimentación del doctor Jean Seignalet. Para que tengan mayor consistencia puedes añadirle el poso (el okara) que hayas obtenido de tu leche vegetal hecha en casa (en la página 123 encontrarás más información sobre leches vegetales y sus okaras).

Entre horas

PLÁTANO

CHOCOLATE NEGRO

MEZCLA DE FRUTOS SECOS Y SEMILLAS

FRUTOS SECOS

GALLETAS CASERAS...

SORPRENDE CON
LA DESHIDRATACIÓN

Una excelente opción como snack saludable es hacer chips, crackers, galletas saladas o dulces e incluso frutas laminadas. Son muy prácticos para los paseos y los aperitivos y, en general, como sistema de conservación de los alimentos. Pero hay que tener paciencia, porque a no ser que dispongas de una máquina deshidratadora, la deshidratación puede durar desde cuatro horas a tres días, dependiendo del producto y la preparación. Algunas elaboraciones ganan cuando están totalmente deshidratadas, otras es mejor que mantengan cierto grado de humedad. A falta de un deshidratador, puedes secar las preparaciones al horno a baja temperatura (menos de 43°C) para que el alimento se mantenga «crudo». Utiliza papel sulfurizado, y mejor que sea sin cloro, para colocarlo sobre las parrillas.

Mi plato

Con una elaboración respetuosa se preserva el carácter nutritivo de los alimentos y no se generan moléculas nocivas. Es una cocina rápida, fácil, sana y que no ensucia el organismo. Así que ¿crudo o cocinado?

Crudo

Un beneficio nutricional

La alimentación viva permite abastecerse de minerales, vitaminas y vitalidad. Con ella se conservan los nutrientes que se deterioran con la cocción. Con los alimentos crudos puedes hacer todo tipo de preparaciones que deleitarán tanto a tu vista como a tu paladar. Recuerda lavar muy bien la fruta y la verdura, y asegúrate de que la carne y el pescado que compres sean frescos y de calidad.

ALIMENTO FRESCO
ALIMENTO SECO
ALIMENTO GERMINADO

Cocinado

Opta por la cocción a baja temperatura

Por encima de 110 °C, la estructura de las moléculas de los alimentos se deforma. La cocción a vapor es una excelente alternativa para cocinar sin estropear los alimentos. Debes ser constante para cocer de manera rápida y eficaz. Se puede usar para todo tipo de preparaciones, desde una simple verdura hasta un postre muy elaborado.

Otras técnicas de cocción a baja temperatura son el estofado, el baño maría, el hervido, la cocción a fuego lento en la cazuela o al horno, al vacío...

Como la carne cocinada a altas temperaturas resulta indigesta, decántate por cocer al vapor las carnes blancas. Quedarán más tiernas y jugosas que cocinadas a fuego vivo.

La carne roja se puede hacer vuelta y vuelta en la sartén bien caliente y sin añadirle grasa alguna, con lo que se conservan sus propiedades. ¡Hay que comerla lo menos hecha posible!

Corta

Cambia el corte, varía las texturas.

RAYADO
TRITURADO
DIPS
TARTARS
CARPACCIO
TAGLIATELLES
ZUMO
SMOOTHIE
COULIS
CREMAS
MOUSSE

Sazona

Varía los condimentos, renueva los sabores.

UTILIZA HIERBAS FRESCAS, DIVERSIFICA LAS PLANTAS AROMÁTICAS Y JUEGA CON TUS ESPECIAS PREFERIDAS.

DECÁNTATE POR EL AZÚCAR DE CAÑA Y LA SAL GRUESA EN VEZ DE LOS PRODUCTOS REFINADOS.

ESCOGE ACEITE DE CALIDAD, CRUDO Y PRENSADO EN FRÍO.

AÑADE A TUS PLATOS SEMILLAS Y FRUTOS DE CÁSCARA.

CARNES SECAS

La carne y el pescado crudos pueden también secarse tras hacerles un corte especial, o bien pueden picarse y añadirles una mezcla de especias para elaborar los típicos jerkys de Quebec. Atrévete con las carnes secas de buey o la carne de res curada al estilo de Grisón, por ejemplo.

¡COME CRUDO!

La alimentación cruda es beneficiosa para la salud. Estimula la vitalidad. Conserva todos los minerales y todas las vitaminas que se alteran rápidamente al cocinar los alimentos. Lo crudo aporta también enzimas activas que favorecen la digestión. Por ello, se suele hablar de alimentación «viva». Para Jean Seignalet, a pesar de que algunos alimentos resistan bien la cocción, la alimentación cruda sigue siendo la dieta alimenticia más fisiológica, la que se adapta mejor a nuestras enzimas y, sobre todo, la única que no produce moléculas tóxicas.

No prescindas de los crudos, y poco a poco ve dando espacio a este tipo de elaboraciones en tu alimentación cotidiana. Además, la comida cruda ¡resulta deliciosa para las papilas gustativas! La cocina japonesa, que utiliza muchos alimentos crudos o semicocinados, demuestra que la buena gastronomía también está a favor de este tipo de elaboración. Con los crudos, poco a poco agudizarás tus sentidos y te volverás más exigente con la calidad de los alimentos.

Alimentos de calidad

La calidad de los alimentos es fundamental, no solo desde un punto de vista nutritivo, sino también gustativo. Cerciórate de dónde proceden los alimentos que ingieres. Para asegurarte de que adquieres productos sabrosos y generosos, es preferible optar por alimentos de temporada, productos de proximidad y de calidad ecológica.

La calidad es esencial cuando hablamos de carne y pescado que vayamos a consumir crudos: deben ser muy, pero que muy frescos. Acude a una tienda de confianza e indica siempre que piensas comer el producto crudo, para que así el tendero tenga especial cuidado en que el género que te venda esté en óptimo estado y sea tierno.

Alimentos limpios

Asegúrate de que la higiene de los alimentos sea impecable. La alimentación cruda es un tipo de cocina sana, limpia y rápida, pero hay que respetar ciertas reglas. Lo interesante de la comida cruda es que los alimentos conservan el 100 % de su carácter nutritivo y que ofrecen enzimas vivas, que aportan su vitalidad al organismo. Esta vitalidad también es activa en el entorno. Para evitar que se desarrollen bacterias perjudiciales y otros gérmenes, antes de cocinar y de comer hay que lavarse las manos; lavar o pasar por agua los alimentos frescos (no conviene ponerlos demasiado tiempo en remojo, pues las vitaminas y los minerales se disolverían en el agua); guardarlos en lugares limpios y secos, y disponer de utensilios y de un plan de trabajo impecables.

Alimentos bien conservados

Los alimentos crudos también son muy frágiles y sufren los efectos del calor y del tiempo. Para conservarlos mejor, guárdalos limpios en la nevera: la carne y el pescado (que hay que consumir rápido) en la parte más fría, y los vegetales en los cajones de la nevera. Y desde la compra hasta la cocina, respeta la cadena de frío.

Alimentos bien cortados

Los asiáticos son los maestros del corte. En algunos países, esta práctica se ha erigido en arte. El placer que entra por los ojos es un elemento importante del disfrute de la mesa, así que no dudes en poner en práctica toda tu creatividad. El corte también permite variar las texturas y los sabores. Los vegetales se componen de fibras. En función del sentido del corte, se modifica la textura e incluso el sabor, puesto que los sabores se reparten de distinta manera. La sensación cambia cuando se corta una cebolla en dados o en rodajas finas. Cortar una cebolla en el sentido de las fibras hace que se llore mucho menos que en sentido contrario, pues se salpica menos. Además, en función del corte, los alimentos crudos tampoco absorben el aderezo de la misma manera.

Por otra parte, cuando más fino sea el corte, más fácil será la digestión del producto crudo, ya que las fibras se seccionan. En el caso de que no digieras bien la verdura cruda, debes acostumbrar a tu organismo mezclando los ingredientes con una batidora o haciendo zumos con la licuadora. A partir de ahí podrás introducir las fibras poco a poco.

En cuanto a la carne y el pescado, utiliza un cuchillo afilado de lama lisa para realizar tú mismo el corte, aunque también puedes pedir que te corten el producto en la carnicería o la pescadería.

Utensilios adecuados

Con un buen cuchillo, una tabla de cortar, un pelador de verduras y un colador tendrás ya una buena base de utensilios para elaborar tus carpaccios (lonchas finitas) y tus tartars (cubitos).

El robot de cocina te permitirá elaborar todo tipo de salsas, purés, sopas y cremas.

Con **la batidora** podrás dar una textura más fina a los ingredientes, incluso aquellos más difíciles de moler, como las avellanas o los cubitos de hielo.

Sin embargo, tanto la batidora como el robot de cocina se calientan rápidamente y calientan los alimentos, con lo cual hace que se deterioren.

Con **la licuadora** se puede extraer el zumo de una hoja de lechuga o de una manzana. No genera calor y no se conservan las fibras vegetales, al contrario que la batidora, que las tritura. Es imprescindible para elaborar zumos vegetales. También puede utilizarse para la pasta de galleta cruda y la pasta y la mantequilla oleaginosa, por ejemplo.

El deshidratador es una máquina que permite secar los alimentos en crudo y a menos de 42 °C. Por encima de esa temperatura se considera que los alimentos están cocinados. Para conservar la vitalidad de los alimentos, no se debe exceder esa temperatura. Con la deshidratación, se pueden elaborar masas de tarta, crackers, galletas, masas de frutas, frutos secos y también chips de verduras y carne deshidratada (jerky). Un horno bien controlado al que se le deja la puerta abierta puede cumplir la misma función. El tiempo de secado suele ser largo, alrededor de veinte horas.

El rallador eléctrico permite ganar mucho tiempo y variar, según el accesorio, el corte de las verduras en un instante.

Mima tu despensa

Regresa al apartado *Los ingredientes*, donde te detallo todos los productos que vas a necesitar.

¡APRENDE A COMER DE OTRA MANERA!

Ahora te toca jugar a ti. Diversifica los colores de tu plato, ya que en las verduras eso se corresponde a menudo con la variedad de nutrientes. Gracias a un corte adecuado y a un aderezo delicado, podrás diversificar las hortalizas crudas que consumes y dejar volar la imaginación. Las verduras y las frutas a menudo son más polivalentes si las comemos crudas que cocinadas. Si, por ejemplo, preparas una sémola de excelente calidad y le añades coliflor rallada, y esta sémola viva al 100 % la aromatizas con un poco de sal, limón, cúrcuma y un chorrito de aceite de oliva, tendrás un acompañamiento perfecto para un curry de verduras.

Échales un vistazo a estas recetas 100 % crudas para darte muchas ideas y lee los pequeños consejos que te ofrecemos en estas páginas.

Si no se indica otra cosa, las cantidades de las recetas están calculadas para 4 personas.

Ensalada de wakame con mango

PREPARACIÓN: 5 MIN / REMOJO PREVIO: 20 MIN

10 g de alga wakame

1 mango

80 g de rúcula

3 cucharadas de aceite de oliva

1 pizca de sal

1 pizca de pimienta

1 cucharada de piñones

Pon en remojo las algas wakame durante unos 20 minutos. Cuélalas y reserva el agua. Ten en cuenta que puedes usar el agua para otras preparaciones como cocer cereales o hacer sopa.

Pela el mango y córtalo en rodajas.

Distribuye todos los ingredientes en el plato. Aliña con el aceite, la sal y la pimienta antes de servir.

LAS ALGAS, SUPERALIMENTOS DEL MAR

Las algas forman parte de los superalimentos. Contienen hierro, aminoácidos, calcio... Son pequeñas bombas nutritivas que debemos utilizar con moderación. Se encuentran secas o frescas en muchos supermercados.

Ensalada de naranja, remolacha y rábano negro

PREPARACIÓN: 10 MIN

1 naranja
1 remolacha cruda
1 rábano negro
1 taza de hojas de espinaca
1 cucharada de piñones
aceite de oliva virgen extra
sal

Pela la naranja y limpia bien la remolacha cruda y el rábano negro.

Córtalos en rodajas finas y disponlas en los platos.

Añade las hojas de espinacas, los piñones y aliña con aceite de oliva y sal.

EL TOQUE DULCE DE LAS FRUTAS

Las frutas en la ensalada pueden ser frescas o secas: naranja, piña, manzana frescas..., o bien pasas, higos secos, dátiles, ciruelas pasas... En cualquier caso, troceadas o cortadas muy finas, aportan un sabor dulce a tus ensaladas. Sin embargo, algunas personas tienen dificultades para digerir la fruta fresca y se les recomienda comerla sola, entre comidas. De este modo podrán tolerarla mejor.

Wrap de lechuga multicolor

PREPARACIÓN: 10 MIN

8 hojas de lechuga romana grandes

8 hojas de espinaca

2 hojas de lombarda

2 hojas de col china

2 zanahorias

1 pimiento rojo pequeño

1 pimiento amarillo pequeño

4 rabanitos

½ mango

½ manzana

½ pepino

½ cebolla morada

1 manojo pequeño de perejil

1 puñado de brotes de brócoli o de alfalfa

50 g de nueces ligeramente picadas

Lava muy bien todas las verduras y frutas. Elimina la parte dura de la lechuga, ya que la hace más difícil de enrollar. Corta en juliana o láminas finas el resto de frutas, hojas y hortalizas.

Para envolver cada wrap, utiliza dos hojas de lechuga. Superponlas y, encima, coloca un poco de cada verdura y fruta, perejil, brotes y nueces.

Enróllalo y, si quieres, ciérralo con cordel de algodón apta para uso alimentario o atraviésalo con un par de palillos.

Sírvelo tal cual o guárdalo en una fiambrera, preferiblemente en la nevera, hasta el momento de consumir.

Puedes hacer el wrap más jugoso añadiendo una cucharada de salsa tahini.

EL WRAP: ¡ENRÓLLATE!

Igual que el rollito de primavera chino, el wrap es compatible con la dieta Seignalet. Puedes elaborar wraps digestibles y fáciles de llevar. Para un wrap 100 % crudo, puedes utilizar hojas de vegetales (de lechuga, acelga, col, col china, repollo...) para enrollar tus ingredientes. Otra opción es una loncha de jamón serrano. Otras alternativas prácticas para enrollar tus elaboraciones son las hojas de arroz o de alga nori (la que utilizan los japoneses para preparar los maki). No tendrás más que rehidratarlas en agua templada antes de usarlas.

Carpaccio de champiñones

PREPARACIÓN: 15 MIN / MACERACIÓN: 15 MIN

200 g de champiñones
140 g de salchichón
100 g de mezclum de lechugas
1 limón
1 diente de ajo
4 cucharadas de aceite de oliva
perejil
sal y pimienta

Exprime el limón. Pela y pica finamente el diente de ajo. Lava el perejil, sécalo bien y pícalo.

Quita la piel al salchichón y córtalo en dados pequeños. Lava las hojas de lechuga y escúrrelas bien.

Mezcla enérgicamente el aceite de oliva con el zumo de limón y el ajo y el perejil picados. Salpimienta.

Limpia los champiñones, corta la base del pie terroso y ponlos en un bol con agua y un poco de zumo de limón. Lávalos y después sécalos cuidadosamente con un paño para eliminar cualquier resto de tierra.

Corta los champiñones en láminas finas con ayuda de una mandolina (con cuidado de no separar el tronco del sombrero) y deja macerar en la vinagreta durante 15 minutos.

Reparte los champiñones en los platos, formando una espiral de la parte exterior hacia el interior.

Coloca un montoncito de ensalada en el centro de cada plato, aliña el carpaccio con la vinagreta y reparte los daditos de salchichón por encima.

CHARCUTERÍA NATURAL

La charcutería cocida debe eliminarse de la dieta, pues a menudo ha pasado por cocciones fuertes, pero, en cambio, la charcutería cruda encaja bien en el método Seignalet. Como se trata de alimentos muy salados y grasos y algunas veces son ahumados (un proceso que crea moléculas nocivas), no se debe abusar de ellos. Comprueba siempre en la etiqueta, o preguntándole a tu charcutero, que el producto no contenga ningún aditivo de cereal mutado (a menudo contienen gluten) o productos lácteos. Te sorprenderías de la gran cantidad de aditivos que puedes encontrar en los alimentos: si compruebas, por ejemplo, la composición de dos salchichones, verás que puede haber grandes diferencias. Decántate por productos lo más naturales posible. Puedes comer chorizo, salchichón, jamón serrano, panceta...
Y, si prefieres ahumado, existe el salami, el beicon, el speck...

Espaguetis de calabacín con salsa de tomates secos

PREPARACIÓN: 15 MIN / REMOJO PREVIO: 1 H

1 calabacín grande
orégano fresco y seco
sal

Para la salsa:
100 g de tomates secos (con remojo previo de 1 hora)
300 g de tomates frescos
4 cucharadas de aceite de oliva virgen
2 cucharadas de orégano
1 cucharadita de sal marina
2 dientes de ajo

Pela el calabacín, corta las puntas y haz espaguetis con un espiralizador. Ponle una pizca de sal y mezcla bien.

Para la salsa, tritura juntos todos los ingredientes.

A la hora de montar el plato, pon los espaguetis en un cuenco, reparte por encima la salsa y espolvorea con el orégano.

PRESENTACIONES ORIGINALES

Las máquinas espiralizadoras y ralladoras, manuales o eléctricas, son una excelente inversión para quienes optamos por la cocina cruda. Permiten hacer una diversidad de cortes, con distintos grosores, que dan variedad a los platos. ¡Prueba también esta receta con zanahoria, cebolla o remolacha crudas!

Taquitos frescos

PREPARACIÓN: 15 MIN

hojas de lechuga largas
1 mango
30 g de pimiento rojo
30 g de cebolla fresca
50 g de zanahoria
50 g de col lombarda
1 trocito de jengibre
1 cucharadita de salsa tamari
germinados de guisantes
pipas de calabaza

Para la salsa:

1 ají picante
1 pimiento rojo
1 tomate
2 dientes de ajo
60 ml de aceite de oliva
30 ml de agua
1 cucharadita de sal

Para los taquitos, lava y seca las hojas de lechuga.

Pela y corta en rodajas el mango.

Corta en tiras finas el pimiento, la cebolla, la zanahoria y la col lombarda.

Pela el jengibre y rállalo.

Mezcla todo con el tamari y revuelve bien.

Rellena las hojas de lechuga con la preparación y esparce unos germinados y unas pipas de calabaza por encima.

Para la salsa, tritura los ingredientes hasta obtener una consistencia líquida. Si la quieres menos picante, quítale las semillas al ají.

Champiñones marinados con hierbas

PREPARACIÓN: 20 MIN / MARINADO: 3 H

500 g de champiñones
2 cebolletas finas
3 dientes de ajo
1 guindilla
1 vasito de vinagre de vino blanco
150 ml de aceite de oliva
2 cucharaditas de sal
1 cucharadita de azúcar
1 cucharadita de pimienta recién molida
unas ramitas de perejil
unas ramitas de tomillo
unos tallos de cebollino

Lava los champiñones, sécalos y córtalos en cuartos o en rodajas gruesas.

Limpia las cebolletas, lávalas y córtalas en rodajitas.

Pela y corta en láminas los ajos.

Mezcla los tres ingredientes en un cuenco y añade la guindilla troceada, el vinagre, el aceite, la sal, el azúcar y la pimienta recién molida.

Lava, seca y pica el perejil y el cebollino y añádelos al cuenco con el tomillo lavado.

Deja marinar los champiñones durante 3 horas, removiendo de vez en cuando. Escúrrelos, repártelos en cuencos y sírvelos regados con un poco de su jugo.

EL CORTE ES LA CLAVE

Los champiñones cortados
en trozos gruesos necesitan
bastante tiempo para quedar
impregnados y «cocinados»
con un jugo ácido, bien sea de
limón (como en el ceviche
de la página siguiente) o, como
hacemos aquí, con vinagre.
Si tienes prisa, corta los
champiñones en láminas finas
(como en la receta de carpaccio
de la página 42) y se marinarán
en la mitad de tiempo.

Ceviche de champiñones y aguacate

PREPARACIÓN: 15 MIN / MACERACIÓN: 1 H

450 g de champiñones
45 ml de aceite de oliva
10 ml de zumo de limón
20 g de apio picadito
2 dientes de ajo picadito
ají picante al gusto
un puñado de hojas de cilantro picadito
1 cucharadita de sal
1 aguacate
1 puñadito de germinados de remolacha
flores para decorar

Lava y corta en rodajas los champiñones y déjalos macerar durante 1 hora con el aceite de oliva, el zumo de limón, el apio, el ajo, el ají, el cilantro y la sal.

Una vez estén macerados los champiñones, mézclalos con el aguacate cortado en cubos y sirve a continuación en forma de timbal con los germinados por encima y decorados con flores.

CARPACCIOS, MARINADOS Y CEVICHES

Son preparaciones que permiten «cocer» alimentos crudos sin calor. El carpaccio se sazona en el último momento, la transformación del producto es escasa o nula, por tanto hay que cortarlo muy finamente para poder digerirlo mejor. La marinada se suele hacer con un ingrediente líquido ácido, como limón o vinagre, a los cuales pueden añardirse hierbas y especias. Ablanda los ingredientes, les da sabor y los hace más jugosos. El ceviche, preparación típica de Perú, es el tipo de marinado más popular que, como vemos aquí, no solo se aplica al pescado.

Rollo de calabacín con pesto cremoso

PREPARACIÓN: 10 MIN / REMOJO PREVIO: 8 H

1 calabacín grande
2 tomates frescos
1 zanahoria
1 puñado de rúcula
sal

Para el paté:
200 g de pipas de calabaza
50 g de anacardos
2 dientes de ajo
1 limón (el zumo)
50 g de tomates secos
2 cucharadas de aceite de pipas
　de calabaza

Para el pesto:
2 tazas de hojas de albahaca
50 g de nueces
1 cucharada de levadura nutricional
4 cucharadas de aceite de oliva
sal

Pon en remojo las nueces (8 horas) y las pipas y los anacardos (4 horas). Cuélalos, lávalos y resérvalos.

Corta el calabacín a lo largo con una mandolina para obtener láminas finas. Sazónalas con una cucharada de sal y déjalas macerar media hora.

Corta los tomates y la zanahoria en tiras finas, y resérvalos.

Tritura las pipas, los anacardos, un diente de ajo, el aceite y el zumo de limón hasta obtener una consistencia para untar. Acaba el paté agregando los tomates secos cortados en trozos pequeños.

Prepara el pesto triturando la albahaca, las nueces, un diente de ajo, la levadura, una cucharadita de sal y el aceite de oliva.

Monta los rollos: para cada uno, superpón ligeramente cuatro láminas de calabacín y encima crea una línea con el paté, la zanahoria, los tomates frescos y la rúcula. Enróllalos con cuidado. Ya está listo para servir.

Ensalada caprese con queso de anacardos

PREPARACIÓN: 20 MIN / REMOJO: 8 H / DESHIDRATACIÓN: 6 H

Para el queso:
250 g de anacardos
30 ml de aceite
½ cucharadita de sal
1 cucharada de orégano
2 cucharadas de levadura nutricional
30 ml de zumo de limón
150 ml de agua

Para la ensalada:
4 tomates pera
unas hojas de albahaca
aceite de oliva
sal y pimienta

Remoja los anacardos previamente y déjalos en reposo entre 3 y 8 horas. Después cuélalos y lávalos.

Coloca los anacardos junto con el resto de los ingredientes para hacer el queso y tritúralos hasta lograr una consistencia cremosa.

Unta las bandejas del deshidratador en unos moldes circulares y deshidrata unas 6 horas. Dales la vuelta y déjalos deshidratar durante 2 horas más. No tiene que quedar del todo crocante.

Para la ensalada, corta en rodajas los tomates. Coloca de forma intercalada una capa de tomate, otra de queso y otra de hojas de albahaca. Alíñala con el aceite de oliva, sal y pimienta al gusto. ¡Y listo!

Bocadillo vegetal de pimiento

PREPARACIÓN: 40 MIN / MACERACIÓN: 30 MIN

4 pimientos rojos de la variedad Ramiro
8 hojas de lechuga morada
2 tazas de brotes de girasol
1 cebolla dulce
2 aguacates
4 cucharadas de semillas de cáñamo pelado
1 limón (el zumo)
1 taza de setas shiitake
2 cucharadas de tamari
2 cucharadas de sirope de arce o de coco
sal

Corta las setas en láminas finas. Mézclalas en un cuenco con el tamari y el sirope masajeándolas con las manos para que se impregnen bien. Déjalas macerar al menos 30 minutos.

Pela la cebolla y córtala en aros finos. Resérvala en un cuenco cubierta con agua tibia, para que sea más digestiva.

Pela los aguacates y descarta el hueso. Aplasta la pulpa con un tenedor y añade zumo de limón para que no se oxide.

Añade las semillas de cánamo y sigue mezclando hasta obtener una crema gruesa.

Lava los pimientos y córtalos a lo largo en dos mitades.

Rellena la mitad de un pimiento con la mitad de crema de aguacate.

Trocea la lechuga, colócala sobre el aguacate y ve añadiendo capas con los aros de cebolla escurridos, los brotes de girasol y las setas shiitake.

Cubre con la otra mitad del pimiento y sírvelo como un bocadillo. Repite con todos los pimientos.

EL TAMARI, UN CONDIMENTO INTERESANTE

La salsa de soja contiene gluten. Así que optamos por la salsa tamari, que tiene un sabor equivalente y no contiene moléculas indigestas. Es muy salada, así que, si utilizas tamari, ¡recuerda no añadir sal de más!

Ceviche de coco

PREPARACIÓN: 15 MIN / MACERACIÓN: 1 H

1 coco fresco
50 ml de zumo de limón
20 g de apio
1 diente de ajo
ají picante a gusto
40 g de cebolla roja
40 g de pimiento amarillo
un puñado de hojas de cilantro
1 cucharada de aceite de oliva
½ cucharadita de sal
un poco de pimienta

Para decorar:
unas hojas de cilantro
unos gajos de lima

Abre el coco y extrae el agua y la pulpa.
Puedes tomar el agua o reservarla para
otra receta. Corta en cubos la pulpa del
coco (utiliza un coco joven, de pulpa
blanda. Si usas uno con pulpa dura,
alarga el tiempo de maceración).

Exprime el limón. Pica bien el ajo, el ají
y el apio. Corta finamente la cebolla,
el pimiento y buena parte del cilantro
y adereza con el aceite y la sal.

Deja macerar entre 10 minutos y 1 hora
(cuanto más tiempo de maceración, más
rico e intenso saldrá) y sirve.

Para terminar, decora con más hojas
de cilantro y gajos de lima.

Puedes acompañarlo con algún
deshidratado o con crudités.

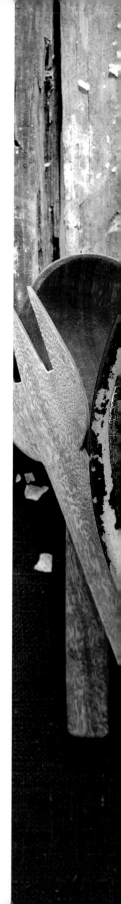

Pad thai de calabaza

PREPARACIÓN: 15 MIN / REMOJO: 8 H

150 g de calabaza
100 g de manzana
50 g de zanahoria
50 g cebolla morada
50 g de pimiento
15 almendras
cebollino
hierbas aromáticas y brotes para decorar

Para la salsa:
2 cucharadas de tahini
1 cucharada de jengibre rallado
1 diente de ajo
1 cucharadita de cúrcuma en polvo
½ limón o lima (el zumo)
2 cucharadas de aceite de oliva
1 pizca de pimienta
chile al gusto
½ cucharadita de sal
100 ml de agua

Corta en tiras bien finas la calabaza,
la manzana, la zanahoria, la cebolla
y el pimiento. Mezcla y reserva.

Tritura todos los ingredientes de la salsa hasta
lograr una preparación de consistencia cremosa.

Mezcla los vegetales con la salsa y emplata.
Añade las 15 almendras (remojadas previamente
en agua durante unas 8 horas y luego lavadas
y troceadas), un poco de cebollino y un puñado
de hierbas aromáticas y de brotes para decorar.

BROTES Y GERMINADOS CARGADOS DE ENERGÍA

Los granos germinados son extraordinariamente nutritivos y tienen una gran vitalidad enzimática. Se utilizan como estimulante y son un excelente condimento, por el sabor específico que tiene cada uno: por ejemplo, el grano de mostaza, el grano de rábano, o, si se prefiere un sabor más neutro, el grano de alfalfa. Si te haces con un pequeño germinador, podrás producir tus propios brotes a partir de los granos que compres en alguna tienda de productos ecológicos. Hay que estar atento a la higiene, pero el proceso es muy sencillo. También puedes encontrar los brotes ya a punto de consumir en tiendas de productos ecológicos.

Pad thai de calabacín

PREPARACIÓN: 20 MIN / REMOJO: 8 H

300 g de calabacín
200 g de manzana
100 g de zanahoria
100 g cebolla morada
100 g de pimiento rojo
40 g de germinados de soja

Para decorar:

20 almendras (remojadas
   previamente en agua 8 horas)
un puñado de flores secas
1 lima
ají picante seco al gusto
la parte verde de la cebolla
   fresca

Para la salsa:

100 ml de agua
2 cucharadas de mantequilla
   de cacahuete
1 cucharada de jengibre
   rallado
1 diente de ajo
1 cucharadita de cúrcuma
   en polvo o fresca rallada
4 cucharadas de zumo
   de limón
2 cucharadas de aceite de
   oliva
1 pizca de pimienta
ají fresco picante al gusto
½ cucharadita de sal

Corta en tiras bien finas el calabacín, la manzana, la zanahoria, la cebolla morada y el pimiento rojo, mezcla todo junto a los germinados y reserva.

Para la salsa, tritura todos los ingredientes hasta lograr una consistencia cremosa. En lugar de mantequilla de cacachuete, si lo deseas puedes emplear tahini.

Cuela y lava las almendras y trocéalas a continuación.

Mezcla los vegetales con la salsa, sirve en los platos o cuencos y decora con las flores y las almendras.

A un lado del plato, coloca unos gajos de lima y el ají picante.

Si tienes un espiralizador, puedes cortar el calabacín en forma de espaguetis.

Mini burguers orientales

PREPARACIÓN: 25 MIN / DESHIDRATACIÓN: 1 H

Para las mini burguers:
200 g de takuan (nabo daikon fermentado) en pickle
2 cucharadas de pasta de almendra cruda
1 cucharada de pasas de Málaga
1 cucharada de aceite de oliva virgen extra
1 cucharada de sirope de arce

Para decorar:
hojas de ensalada verde
pan raw
ketchup al gusto
½ limón
½ cucharadita de semillas de sésamo blanco crudo
½ cucharadita de semillas de sésamo negro

Corta el takuan (nabo daikon fermentado, popular en Japón y otros países asiáticos) a trocitos. Sumérgelo en agua tibia durante unos 15 minutos para suavizar el sabor a salado.

En un procesador tritura el takuan con la pasta de almendra y las pasas hasta obtener una masa gruesa. Divídela en cuatro y forma pequeñas hamburguesas. Colócalas en las láminas del deshidratador, píntalas con una mezcla de aceite de oliva y sirope de arce y hazlas 30 minutos a 38 °C; dales la vuelta, vuélvelas a pintar y deshidrátalas 30 minutos más directamente en las bandejas del deshidratador.

Puedes servirlas sobre un lecho de hojas verdes, alguna cracker o una rebanada muy fina de pan germinado. Decóralas con un toque de ketchup y un gajo de limón para aliñar al gusto.

CREMAS DE SEMILLAS Y FRUTOS SECOS, UN RECURSO VERSÁTIL

Los purés de frutos secos oleaginosos son una excelente ayuda culinaria, pero cada marca es distinta, algunas son más granulosas que otras. El puré de almendras, por ejemplo, es un sustituto perfecto de la nata para cocinar sopas. Combinado con ingredientes dulces, como la miel o una crema de chocolate negro ecológico, queda delicioso untado en una tostada o sobre una crepe. Si se diluye en agua, obtenemos una leche vegetal en un santiamén. El puré de sésamo también es una buena adquisición tanto para preparaciones saladas (humus) o dulces (galletas). Si te gusta la crema de cacahuete, descarta las marcas más conocidas, que cuecen los ingredientes a altas temperaturas y contienen aceites muy degradados, y decántate por una preparación cruda, sin azúcar añadido y sin excesos de cocción.

Pakoras vivas

PREPARACIÓN: 20 MIN / REMOJO: 48 H
REPOSO: 4 H / DESHIDRATACIÓN: 7 H

150 g de cebolla roja
100 g de zanahoria
60 g de pimiento verde
100 g de calabacín
100 g de brócoli
1 cucharadita de sal
3 dientes de ajo
chile fresco al gusto
ralladura y zumo de limón
1 taza de hojas de cilantro

Para la salsa de menta:
3 cucharadas de anacardos
  (previamente remojados
  en agua de 3 a 8 horas)
1 taza de menta fresca
½ cucharadita de sal
100 ml de agua
½ lima (el zumo)
1 cucharada de levadura
nutricional

Para la masa:
100 g de garbanzos
½ cucharadita de semillas
  de mostaza
1 cucharadita de semillas
  de comino
1 cucharadita de semillas
  de coriandro
1 cucharadita de semillas
  de hinojo
1 cucharadita de cúrcuma
  en polvo
2 cucharadas de tahini
2 cucharadas de levadura
  nutricional
2 cucharadas de aceite de oliva
125 ml de agua

Antes de preparar esta receta, ten en cuenta que debes remojar los garbanzos durante dos días y cambiarles el agua cada día. A continuación, déjalos en un colador, mínimo 4 horas y máximo un día. Está bien que broten un poco, pero no demasiado, pues podrían amargar.

Una vez listos los garbanzos, haz una crema triturándolos con las semillas de mostaza, comino, coriandro e hinojo, la cúrcuma, el tahini, la levadura nutricional, el aceite y el agua, hasta lograr una consistencia cremosa.

Por otro lado, corta la cebolla, la zanahoria, el pimiento y el calabacín en finas tiras, y el brócoli en florecitas. Ponlos en un cuenco, sala y remueve. Déjalos que maceren con la sal hasta que se ablanden un poco y suelten agua. Así tendrán la consistencia ideal.

UNA SALSA REFRESCANTE

Estas pakoras picantes piden una salsa refrescante como la de menta que propone la receta, o una salsa blanca. Preparar salsas blancas sin yogur ni productos lácteos es posible. Se puede recurrir a los yogures y la nata de soja para sustituir los productos lácteos de procedencia animal.

Mezcla los vegetales macerados con la crema de garbanzos, el cilantro y los ajos picaditos, el picante y el limón, y deshidrátalos en puñaditos en las bandejas de deshidratación.

Deshidrata 6 horas. Dales la vuelta y deja 1 hora más. Conserva en la nevera.

Una hora antes de servirlas, coloca de nuevo las pakoras en el deshidratador para servirlas calentitas. Sírvelas con la salsa de menta, que es muy fácil de elaborar: cuela y lava los anacardos y tritúralos con el resto de los ingredientes hasta conseguir una textura cremosa.

Albóndigas de brócoli

PREPARACIÓN: 15 MIN / DESHIDRATACIÓN: 12 H

Para las albóndigas:
200 g de brócoli
100 g de anacardos
50 g de cebolla
1 diente de ajo
3 cucharadas de aceite de oliva
1 cucharadita de sal
1 puñado de albahaca

Para el pincho:
1 puñado de tomates cherry
1 pepino
1 puñado de hojas de espinaca
½ cucharadita de curry
½ cucharadita de sal
Aceite de oliva

Prepara la masa de las albóndigas triturando el brócoli y después el resto de los ingredientes.

Mézclalo todo bien, forma bolas pequeñas y ponlas a deshidratar a unos 45 °C durante unas 12 horas o más. También puedes utilizar el horno a baja tempertura.

Pela y corta el pepino en rodajas y condiméntalo con una mezcla de sal, curry y aceite.

Monta los pinchos alternando las albóndigas, los trozos de pepino, los tomates y las hojas de albahaca.

Curry de vegetales con arroz de coliflor

PREPARACIÓN: 20 MIN

200 g de calabacín
100 g de pimiento
100 g de manzana
50 g de espinacas
½ cucharadita de sal

Para el chutney:
1 mango grande
unas gotitas de zumo de lima
¼ de cucharadita de comino molido
¼ de cucharada de cúrcuma molida
¼ de cucharadita de canela molida
½ cucharadita de coriandro molido
ají picante al gusto

Para el arroz:
300 g de coliflor
1 puñadito de hojas de menta
½ cucharadita de sal
1 cucharadita de aceite de oliva

Para el curry, corta manzana, calabacín y pimiento en cubitos, y las espinacas a tiras. Sala y reserva.

Haz el chutney triturando todos los ingredientes y reserva.

Para el arroz, tritura en trocitos la coliflor, corta bien fina la menta y mezcla con la sal y el aceite.

Sirve todo por separado o mezcla los vegetales con el chutney y sírvelos junto al arroz en un plato.

¡UN «ARROZ» SORPRENDENTE!

La coliflor finamente rallada y bien aliñada es un excelente complemento crudo, y muy original. Con los granitos del brócoli también puedes obtener una sémola cruda, en este caso verde. ¡Sorprende a tus invitados con estos falsos «arroces»!

Ensalada con topping de cítricos y crucíferas

PREPARACIÓN: 15 MIN / MACERACIÓN: 8 H

Para la base de hojas:

1 rama de apio, con las hojas

1 taza de canónigos

1 taza de brotes de espinacas

4 hojas de escarola

2 endibias

Para el topping:

4 coles de Bruselas

1 taza de floretes de coliflor

1 pomelo (el zumo)

1 mandarina (el zumo)

1 limón (el zumo)

1 granada, pelada y desgranada

1 cucharadita de pimienta negra recién molida

10 aceitunas negras

Para la salsa de aguacate:

1 aguacate

1 naranja (el zumo)

media remolacha (el zumo)

1 cucharada de vinagre de umeboshi

2 cucharadas de aceite de oliva de primera prensada en frío

Coloca en un cuenco grande la coliflor cortada en pequeños floretes y las coles de Bruselas a láminas. Riega con los zumos de pomelo, mandarina y limón. Añade la granada y deja macerar 8 horas en la nevera para que la col se impregne de los cítricos. Cuando vayas a usar este topping, deja antes que pierda el frío de la nevera una media hora a temperatura ambiente.

Corta el tallo de apio en daditos y reserva las hojas.

En otro cuenco, mezcla el tallo troceado y sus hojas con el resto de hojas de la ensalada y las aceitunas.

Tritura los ingredientes de la salsa con la batidora hasta obtener una mousse muy suave de color rosado intenso.

Sirve las hojas y decora con el topping y la salsa.

¡REVITALÍZATE!

Aquí tienes una ensalada de invierno que te proporcionará vitaminas protectoras contra el frío. Entre sus sabores, predomina el apio. Si te gusta su toque picante, ligeramente amargo y anisado, pruébalo cortado muy fino, en láminas, con manzana en pedacitos y un zumo de naranja, o junto a una mayonesa. ¡Es nutritivo y revitaliza!

Ensalada bien verde

PREPARACIÓN: 20 MIN / REMOJO: 4 H

Para la ensalada:

4 hojas de kale

¼ de lechuga

50 g de habas frescas

50 g de guisantes frescos

1 kiwi

1 pimiento verde

1 aguacate

unas hojas de cilantro

unas hojas de hinojo

unas hojas de zanahoria

Para la salsa:

125 ml de agua

100 g de anacardos

25 g de hojas de albahaca

2 cucharadas de levadura nutricional

1 cucharadita de sal marina

1 diente de ajo

1 cucharada de zumo de limón

Para la salsa, remoja los anacardos al menos 4 horas. Luego cuélalos, lávalos y tritúralos con los demás ingredientes hasta obtener una salsa cremosa.

Para la ensalada, lava, sala y masajea la kale.

Mientras la dejas reposar, prepara los otros ingredientes: la lechuga, cortada con las manos; las habas, en rodajas finas; el kiwi y el pimiento, en rodajas; el aguacate, en cubos.

Lava la kale para quitar la sal y monta todos los ingredientes de manera atractiva.

¡COME VERDE!

La clorofila está cargada de energía solar y de oxígeno y permite mantener el equilibrio ácido-básico. Todas las verduras verdes contienen clorofila.

Por eso es importante comer verduras verdes, ensaladas, hierbas aromáticas frescas, al natural o en «zumos verdes». Los zumos se digieren más fácilmente y se pueden tomar varias veces al día. Si no tienes licuadora, puedes prepararlos con la batidora cuando la carne del fruto lo permita.

Tartaleta de remolacha con mousse de aguacate

PREPARACIÓN: 15 MIN / REMOJO: 4 H

150 g de pipas de girasol

150 g de remolacha

1 cucharada de tamari

1 cucharadita de tomillo molido

2 aguacates grandes

1 cucharadita de semillas de eneldo molidas

1 limón (la ralladura y el zumo)

2 cucharadas de aceite de oliva

1 puñado de hojas de espinaca

1 cucharadita de sal

Remoja previamente las pipas de girasol en agua. Cuélalas y lávalas.

Ralla la remolacha.

Tritura las pipas, la remolacha rallada, el tamari y el tomillo. Esta preparación será la base de la tartaleta.

Prepara la mousse de aguacate mezclando los aguacates troceados, las semillas de eneldo, la ralladura y el zumo de limón, las espinacas, el aceite y la sal. Tritúralo todo hasta obtener una consistencia cremosa.

Extiende la base en una capa fina de unos 2 cm de grosor dentro de un molde cortante. Vierte la mousse y deja que se enfríe. Desmolda y decora antes de servir.

Ensalada con vinagreta de frutos rojos

PREPARACIÓN: 35 MIN

100 g de brotes de lechuga
8 rábanos
1 hinojo
1 cebolla morada
50 g de brotes de alfalfa
50 g de pistachos pelados
pimienta rosa en grano

Para la vinagreta:
100 g de frutos rojos congelados
100 ml de aceite de oliva
2 cucharadas de azúcar
2 cucharadas de vinagre de manzana
sal

Descongela los frutos rojos en la nevera la noche anterior. Reserva algunos para decorar el plato al final, y el resto ponlos en un cazo una vez descongelados y lleva a ebullición 5 minutos con el azúcar. Coloca en un vaso de batidora, tritura y cuela para eliminar las pepitas.

Luego, añade el vinagre, el aceite de oliva y una pizca de sal. Tritura hasta conseguir una salsa homogénea.

Lava las verduras. Corta los rábanos a rodajitas. Pela la cebolla y córtala a láminas muy finas. Saca la lámina exterior del hinojo y córtalo también fino.

Dispón los brotes de lechuga sobre los platos y coloca las hortalizas, los pistachos y los brotes de alfalfa por encima. Aliña con la vinagreta de frutos rojos y decora con unos granos de pimienta rosa.

LOS CONGELADOS, UNA OPCIÓN PRÁCTICA

Los alimentos congelados también conservan todas sus propiedades y pueden utilizarse en la dieta Seignalet. Decántate por productos crudos, preferiblemente ecológicos, y asegúrate de que no contengan trazas de cereales mutados ni productos lácteos, lo cual suele ser frecuente. Esto te permitirá añadir unos arándanos o unas frambuesas a la macedonia o a una ensalada como esta, incluso fuera de temporada.

Ensalada verde con remolacha

PREPARACIÓN: 15 MIN

3 puñados de rúcula (o cualquier otra hoja verde)
1 remolacha grande
4 troncos de apio
1 cucharada de semillas de sésamo
1 cucharada de copos de alga dulse

Para el aliño
1 aguacate
1 dátil sin hueso
1 cucharadita de sirope de arce
media cucharadita de espirulina
un toque de jengibre (la raíz fresca o en polvo)
agua al gusto
una pizca de sal

Coloca en un cuenco una cama vegetal hecha con los puñados preparados de la rúcula.

Ralla la remolacha y después corta muy finamente el apio, en lonchitas.

Para elaborar la salsa, tritura todos los ingredientes en una batidora individual y luego ve agregando agua hasta que obtengas la textura deseada.

Una vez todo preparado, dispón las hojas verdes y las hortalizas cortadas en la ensaladera, vierte el aliño por encima y mézclalo todo bien. Espolvorea con las semillas de sésamo y con los copos de alga dulse por encima y sirve inmediatamente.

UNA BOMBA DE SALUD PARA EL CORAZÓN

He aquí una ensalada que no lleva aceite, pero es igualmente muy sabrosa. Sus grasas proceden del sésamo y del aguacate, y son altamente cardioprotectoras.

Ensalada de espinacas con vinagreta de higo

PREPARACIÓN: 20 MIN / REPOSO: 15 MIN

100 g de hojas de espinacas tiernas
70 g de champiñones
1 limón (el zumo)
1 zanahoria
1 manzana verde
½ cebolleta
2 cucharadas de avellanas tostadas

Para la vinagreta:
2 higos frescos
5 cucharadas de aceite de oliva virgen
2 cucharadas de vinagre balsámico
sal y pimienta molida
unas hojas de hierbas frescas (albahaca, menta o cilantro)

Para preparar la vinagreta, pela los higos, que deben estar muy maduros. Corta en trozos la pulpa y tritura en la batidora con el aceite, el vinagre, la sal y la pimienta y las hierbas frescas hasta que obtengas una salsa uniforme. Deja enfriar 15 minutos en la nevera.

Mientras se enfría la vinagreta, exprime el limón. Lava los champiñones, lamínalos y rocíalos con la mitad del zumo. Raspa y lava la zanahoria y córtala en bastoncitos. Lava y seca la manzana, córtala en gajos finos y rocíalos con el resto del limón. Pela la cebolleta y córtala en juliana muy fina.

Mezcla las espinacas con los ingredientes anteriores.

Aliña la ensalada con la vinagreta. Espolvorea con las avellanas picadas y sirve.

Ensalada con mandarina y jamón de pato

PREPARACIÓN: 20 MIN

2 tazas de rúcula
4 mandarinas
20 g de aceitunas negras sin hueso
50 g de jamón de pato
20 g de nueces

Para la vinagreta:
una ramita de perejil
aceite de oliva extra virgen
vinagre
1 cucharadita de azúcar
sal y pimienta

Lava la rúcula, escúrrela y ponla en una ensaladera.

Lava 2 mandarinas y ralla la piel; pela las 4, saca los gajos y pártelos por la mitad.

Pela y pica las nueces.

Escurre las aceitunas y córtalas en rodajas. Añádelas a la rúcula con los gajos de mandarina y las nueces. Añade por último el jamón cortado en láminas.

Prepara una salsa batiendo el perejil lavado y picado con la ralladura de mandarina, el azúcar, sal, pimienta, aceite y vinagre. Riega la ensalada con ella y sirve.

Carpaccio de tomate con salsa de anchoas

PREPARACIÓN: 15 MIN / REPOSO: 20 MIN

8 tomates maduros
2 cucharadas de alcaparras
40 g de rúcula
orégano
sal

Para la salsa:
4 filetes de anchoa en aceite
½ cebolla roja
1 ramita de perejil
3 cucharadas de aceite de oliva virgen
1 cucharada de vinagre balsámico
orégano
pimienta negra molida

Escurre las anchoas. Pela la cebolla, lava y seca el perejil. Pícalo todo muy menudo.

Mezcla en un cuenco el aceite, el vinagre, un poco de orégano y una pizca de pimienta. Añade los ingredientes picados, remueve y deja reposar 20 minutos.

Lava los tomates, sécalos y córtalos en rodajas muy finas. Repártelas en 4 platos, colocándolas ligeramente acaballadas entre ellas, hasta cubrir bien toda la base.

Condimenta el carpaccio con un poco de sal y orégano, y reparte por encima las alcaparras y las hojas de rúcula lavadas y secas. Alíñalo con la salsa de anchoas y ya puedes servir.

Aguacate relleno de ensalada y salmón

PREPARACIÓN: 15 MIN

2 aguacates maduros
2 limones (el zumo)
4 lonchas de salmón ahumado
3 zanahorias pequeñas
2 cebolletas pequeñas
1 pimiento verde
unas hojas de ensalada variada
aceite de oliva
sal y pimienta

Corta los aguacates por la mitad, elimina el hueso y vacíalos. Trocea la pulpa y rocíala con unas gotas de zumo de limón. Mezcla el resto del zumo con aceite, sal y pimienta.

Lava las lechugas y sécalas. Raspa las zanahorias, lávalas y córtalas en bastoncitos. Limpia y lava las cebolletas y el pimiento, y córtalos en juliana. Mezcla todo con el salmón cortado en tiras.

Salpimienta el interior de los aguacates y rellénalos con la ensalada. Adereza con el aliño de aceite y limón y sirve.

Sopa viva de remolacha

PREPARACIÓN: 10 MIN

500 ml de agua
130 g de remolacha
100 g de manzana
40 g de cebolla
50 g de aguacate
25 ml de zumo de limón
1 cucharada de jengibre picado
30 ml de aceite de oliva
1 cucharadita de sal
1 cucharadita de sésamo

Tritura todos los ingredientes hasta que el resultado quede cremoso.

Espolvorea con sésamo y sirve al momento. Se conserva en frío como máximo unos tres días.

SOPAS DE INVIERNO, SOPAS DE VERANO

Las sopas «vivas» son una estupenda opción para ingerir vegetales frescos en una consistencia líquida o cremosa. Hay muchas combinaciones increíbles para disfrutar. Necesitarás un robot de cocina o una batidora para mezclar las verduras y los frutos secos; cuanto mayor potencia tenga, conseguirás texturas más finas.

Gazpacho de mango con brocheta de fruta

PREPARACIÓN: 25 MIN

200 g de sandía
3 mangos
1 tomate
½ pepino
½ pimiento verde
1 diente de ajo
4 cucharadas de aceite de oliva,
3 cucharadas de vinagre de manzana
1 cucharada de semillas de sésamo tostado
1 ramita de menta
sal

Pela los mangos y corta la pulpa en daditos. Reserva 8 dados para las brochetas.

Lava el tomate y pélalo; lava y limpia el pimiento; despunta, pela y trocea el pepino.

Pela el ajo, tritúralo con las verduras, el mango, el vinagre, una pizca de sal y el aceite hasta obtener un puré homogéneo; añade un poco de agua si se queda muy espeso y resérvalo en la nevera.

Pela la sandía y córtala en dados.

Monta 4 brochetas alternando los dados de mango reservados con los de sandía y las hojas de menta lavadas.

Reparte el gazpacho en cuencos y espolvoréalo con el sésamo. Sírvelo acompañado de las brochetas de frutas.

SOPAS REFRESCANTES DE VERANO

Una sopa de frutas como esta de mango, o de melón, o el clásico gazpacho de pepino y tomate son ideales para el verano.

Sopa energética de calabaza

PREPARACIÓN: 20 MIN

250 ml de agua
200 g de calabaza
100 g de zanahoria
1 rama de apio
1 cucharada de aceite de oliva virgen
1 cucharadita de sal
un puñado de alga nori en copos
semillas de sésamo
pimienta

Pela y ralla tanto la calabaza como la zanahoria. El apio, una vez limpio, córtalo en juliana. Cuanto más pequeños cortes los trocitos del apio en este caso, y de los ingredientes que utilices en tus sopas en general, más fácil resultará triturarlos luego con la batidora.

Tritura las hortalizas junto con el agua, el aceite, la pimienta y la sal con una batidora de mano o de vaso hasta que quede una mezcla bien cremosa.

Sirve la sopa en cuencos y, para decorarla, espolvorea por encima los copos de alga nori y las semillas de sésamo. Puedes darle un último toque echándole un hilo de aceite de oliva virgen.

NUTRITIVA Y RECONFORTANTE

Puedes tomarte la sopa tal cual o calentarla ligeramente. Hasta los 43 °C, los componentes nutritivos se quedan intactos. Así puedes templar algunos alimentos sin alterarlos y preparar una sopa de invierno con remolacha, brócoli o espinacas. Otra posibilidad es servirla en un cuenco caliente.

Sopa de zanahoria y aguacate

PREPARACIÓN: 10 MIN

375 ml de agua
1 aguacate maduro
4 zanahorias
2 ramas de apio
½ cebolla
1 diente de ajo
2 cucharadas de aceite oliva
una pizca de sal al gusto

Corta todos los vegetales a tacos. Hazlo justo antes de triturarlos, para evitar que se oxiden.

Introdúcelos junto al resto de ingredientes en el vaso de la batidora y tritúralos bien, hasta que compruebes que te queda una crema sin grumitos.

PARA UNA TEXTURA UNTUOSA Y SABROSA

El aguacate da consistencia a esta crema, pero otra opción son los frutos secos oleaginosos triturados, pues aportan untuosidad a las cremas y sopas: anacardos, almendra, piñones, sésamo (crema de tahini), nueces de macadamia... Las pastas vegetales como el tofu nada tienen que ver con el queso animal, aportan una consistencia agradable que puede aromatizarse con ajo o hierbas o simplemente una especia. También pueden utilizarse para elaborar masas de tarta crudas así como pasteles y galletas crudos.

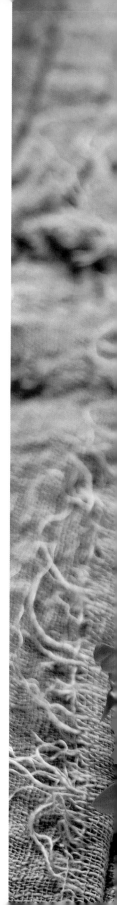

Sopa thai de coco

PREPARACIÓN: 15 MIN

1 l de leche de coco
40 g de galangal fresco o jengibre
1 rama de hierba limón
4 hojas de lima kaffir, secas o frescas
1 cucharada de azúcar de coco
120 g de setas shiitake frescas
1 cucharadita de sal marina
chile fresco picante al gusto
1 cebolla morada
1 tomate

Para decorar:

1 lima
germinados de soja
semillas de sésamo negro

Tritura muy bien en la batidora la leche de coco con el galangal, el picante, la hierba limón, las hojas de lima, el azúcar y la sal, hasta lograr una consistencia líquida cremosa. Si no consigues galangal (una raíz usada por la cocina china y tailandesa), puedes emplear jengibre. Y si no encuentras hojas de lima, puedes reemplazarlas por ralladura de lima.

Sirve en un cuenco y coloca encima tomate en gajos, la cebolla cortada bien fina y las shiitake en rodajas finas.

Para terminar, ponle unos germinados, unas gotas de zumo de lima, unas hojas de cilantro y unas semillas de sésamo negro.

Ceviche de rape con paleta de pimientos

PREPARACIÓN: 15 MIN / MACERACIÓN: 2 H

600 g de rape
½ vasito de zumo de limón
½ pimiento rojo pequeño
½ pimiento amarillo o naranja
½ pimiento verde
1 cebolleta
2 ramitas de cilantro
1 aguacate
2 corazones de cogollo
8 tomates cherry
50 g de aceitunas negras deshuesadas
aceite de oliva
sal y pimienta

Compra el rape entero y pide en la pescadería que retiren la piel y la espina. Córtalo en dados, ponlos en una fuente y riega con el zumo de limón. Remueve para que los dados queden bien impregnados, salpimienta y cubre con film de cocina, y refrigera un par de horas.

Limpia los pimientos de todas las vetas y semillas, y córtalos en daditos.

Trocea los tomates y el aguacate, pica la cebolleta y ponlo todo en una fuente amplia.

Añade el pescado bien escurrido de su jugo, rodea con las hojas de cogollo y las aceitunas, espolvorea con cilantro picado y riega con el aceite de oliva. Si hace falta, rectifica de sal y pimienta.

Tartar de aguacate y langostinos

PREPARACIÓN: 35 MIN

20 langostinos
1 cebolleta
1 lima
3 aguacates
2 tomates
unas ramas de cebollino
aceite de oliva
sal y pimienta

Lava la lima, ralla la piel y exprime la mitad.

Pela los langostinos, elimina la cabeza, y córtalos en trocitos. Salpimiéntalos.

Mézclalos con la ralladura de lima, unas gotas de su zumo y la cebolleta pelada y picada.

Pela los tomates, elimina las semillas y córtalos en daditos. Mézclalos con el cebollino lavado y picado.

Pela los aguacates y pártelos por la mitad. Retírales el hueso y corta la pulpa en dados pequeños. Rocíalos con el zumo de lima que resta y unas gotas de aceite, y salpimiéntalos.

Coloca unos aros de repostería en los platos y rellénalos con una capa de tomate, sobre ella una de aguacate y, por último, una de langostinos, presionando ligeramente. Retira los aros, rocía con un poco de aceite y sirve.

Ceviche de langostinos, merluza y naranja

PREPARACIÓN: 1 H / CONGELACIÓN: 24 H / MACERACIÓN: 1 H

8 langostinos
1 filete de merluza de unos 200 g
1 cebolla morada
1 pimiento rojo
2 naranjas
1 ramita de cilantro
sal y pimienta

Pela los langostinos, retirando los intestinos (el «hilo» negro).

Limpia la merluza, eliminando las posibles espinas y la piel, y lávala. Luego, sécala con papel de cocina. Congela ambos pescados al menos 24 horas.

Pela la cebolla y córtala en juliana.

Limpia el pimiento, lávalo y pártelo en daditos.

Retira el pescado del congelador y ponlo en un escurridor. Antes de que se descongele totalmente, parte la merluza en dados y los langostinos en rodajas.

Dispón la cebolla, la merluza y el pimiento en un cuenco. Riégalos con el zumo de las naranjas y deja macerar, tapado, 1 hora en la nevera.

Añade el cilantro lavado y picado, y los langostinos y continúa la maceración 20 minutos, hasta que los langostinos cambien de color. Salpimienta y sirve.

CÍTRICOS, UNA GRAN VARIEDAD

Puedes macerar el pescado con el zumo de otros cítricos como mandarina, lima, limón, pomelo...

Paquetitos de salmón marinado

PREPARACIÓN: 1 H / CONGELACIÓN: 24 H
MARINADO: 8 H

600 g de lomo de salmón
1 lechuga iceberg
eneldo
aceite de oliva virgen
sal y pimienta negra

Para el marinado:
2 ramitas de eneldo
50 g de sal gorda
25 g de azúcar
brandy

Para la salsa:
40 g de alcaparras
40 g de pepinillos
1 cebolleta
1 limón (el zumo)
100 g de mayonesa
1 cucharadita de mostaza
    rústica
aceite de oliva

Congela el salmón al menos 24 horas y descongélalo.
Quítale las posibles espinas, lávalo y sécalo.

Lava 2 ramitas de eneldo, pícalas y mézclalas con la sal gorda
y el azúcar.

Unta el pescado con 2 cucharaditas de brandy y cúbrelo con la
mezcla anterior. Déjalo 8 horas en la nevera. Luego lávalo y sécalo.

Corta el salmón en tacos de 3 × 3 cm.

Separa las hojas de lechuga, lávalas y escáldalas 10 segundos
al vapor. Enfríalas en agua con hielo y sécalas.

Trocea las alcaparras y los pepinillos.

Limpia la cebolleta, lávala y pícala muy fina. Añádela a la
mayonesa con 1 cucharadita de mostaza, las alcaparras, los
pepinillos, el zumo del limón, sal y pimienta, y remueve bien.

Extiende las hojas de lechuga y coloca una cucharada de
mayonesa y un dado de salmón en cada una. Dóblalas para
formar los paquetitos. Repártelos en platos y alíñalos con
un chorrito de aceite de oliva, sal y pimienta negra.

Ceviche de boquerones con piñones

PREPARACIÓN: 10 MIN / MACERACIÓN: 24 H

16 boquerones muy frescos
5 limas
50 g de piñones
2 cebolletas
4 ramitas de cilantro
aceite de oliva
sal y pimienta rosa en grano

Pide en la pescadería que limpien y vacíen los boquerones, pero sin quitarles la cabeza. Una vez en casa, lávalos bien bajo el chorro de agua fría y déjalos secar sobre papel absorbente. Luego pásalos a una fuente de servir.

Corta en rodajas finas la mitad de las limas y ponlas entre los boquerones. Añade las cebolletas bien picadas y los piñones, y riega con el zumo de las otras limas. Masajea un poco los boquerones con las yemas de los dedos para que se impregnen bien del zumo, añade sal y pimienta, y cubre con aceite de oliva.

Cubre la fuente con una tapa o un plato y refrigera 24 horas.

Sirve los boquerones con unas hojas de cilantro por encima.

RICOS EN ÁCIDOS GRASOS ESENCIALES

Los pescados grasos son excelentes para la salud, pues tienen fama de contener ácidos grasos del tipo omega 3 y 6. Deberás escoger los que te parezcan más apetitosos y mantener un equilibrio con las comidas semanales. El atún y el salmón son los más conocidos, pero también hay pescados más pequeños, como la caballa, las sardinas o las anchoas, que además están menos contaminados de mercurio que los grandes predadores. Cortados en filetitos son estupendos para prepararlos crudos.

Carpaccio de ternera a la pimienta con pera

PREPARACIÓN: 10 MIN / REPOSO: 1 H

400 g de solomillo de ternera
1 pera
cebollino
brotes al gusto
sal y pimienta en grano negra, blanca y rosa

Para la salsa:
½ yogur de soja
50 ml de aceite de girasol
½ limón (el zumo)
1 diente de ajo
sal

Echa el yogur de soja en el vaso de la batidora. El yogur tiene que estar a temperatura ambiente. Ve vertiendo el aceite y un poco de sal.

Comienza a batir sin mover el brazo de la batidora, a potencia baja. Según veas que el fondo se va volviendo más cremoso, ve subiendo la batidora poco a poco, para ir mezclando el yogur con el aceite.

Una vez listo, añade el diente de ajo pelado y el zumo de limón. Vuelve a batir, sin aumentar mucho la velocidad, para que se integren los nuevos ingredientes.

Ya lista, pásala a un bote con dosificador de tipo biberón y métela en la nevera 1 hora para que se enfríe y coja consistencia.

Lava la pera y córtala en gajos.

Corta el solomillo de ternera en tiras muy finas. Disponlas en los platos, dibuja un cordón de salsa por encima, coloca los gajos de pera, salpimienta con las pimientas recién molidas, y decora el plato con cebollino picado y germinados al gusto.

LAS CARNES ADECUADAS PARA COMER CRUDAS

¡Ojo! Las carnes de cerdo, de pollo y de pavo no son indicadas para hacer platos crudos. El buey, la ternera, el caballo y el pato sí que pueden prepararse en crudo, en tartar o en carpaccio. ¡Son deliciosas!

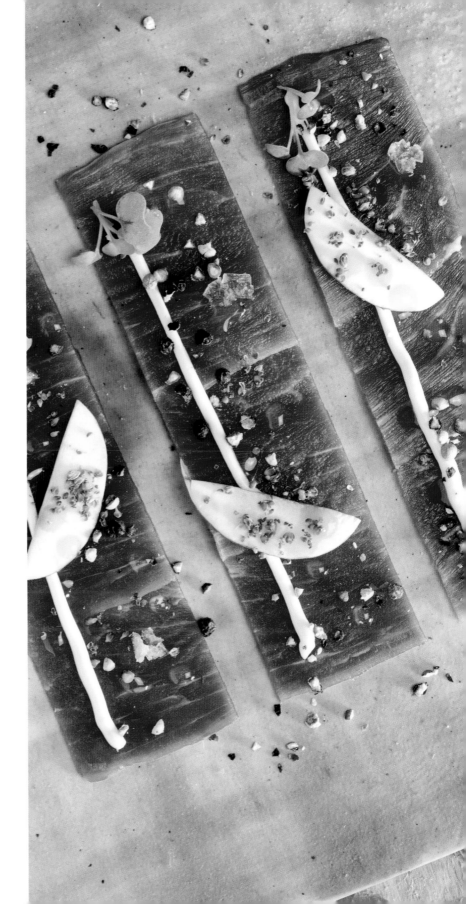

Carpaccio de ternera con peperonata raw

PREPARACIÓN: 15 MIN

400 g de solomillo de ternera cortado
  en lonchas muy finas
1 pimiento rojo
1 pimiento amarillo
1 cucharada de alcaparras
1 cucharada de aceitunas negras sin hueso
aceite de oliva
unas hojas de canónigos
sal y pimienta

Lava los pimientos y córtalos en daditos.
Pásalos a un cuenco con el aceite de oliva.

Coloca las lonchas de solomillo en un plato.
Añade los pimientos y el aceite.

Corta las aceitunas en rodajas y añádelas al plato.
Incorpora también las alcaparras. Corta los canónigos
y añádelos. Salpimienta y sirve al momento.

TRADICIÓN CRUDA

Los platos elaborados con pescado crudo o carne
cruda son tradición en muchas culturas de todo
el mundo: el carpaccio italiano, el bistec tartar, el
pescado a la tahitiana, el ceviche suramericano,
el escabeche mediterráneo o los rollmops suecos,
la esqueixada catalana y el sashimi japonés.

Steak tartar con huevo

PREPARACIÓN: 20 MIN / MACERACIÓN: 15 MIN

600 g de solomillo de ternera en un trozo
1 cucharada de mayonesa
1 cucharada de mostaza
1 cucharada de tabasco
1 cucharada de salsa Perrins
sal y pimienta negra recién molida

Para la guarnición:
4 huevos
1 cebolla
1 limón

Limpia bien el solomillo de pielecitas y grasas. Córtalo en dados y luego pícalo muy fino con ayuda de un cuchillo bien afilado. Salpimienta y reserva. Debe quedar en trocitos muy pequeños pero que se puedan apreciar, que no se convierta en puré de carne.

Mezcla la carne picada con mayonesa de mostaza (mitad mostaza de Dijon y mitad mayonesa), tabasco, salsa Perrins, sal y pimienta negra recién molida. Conviene dejar reposar en la nevera este plato unos 15 minutos para que los ingredientes maceren bien la carne.

Corta la cebolla en daditos.

Dispón la cebolla y las alcaparras a un lado del plato. Monta los tartars. Casca los huevos, retira las claras y presenta las yemas enteras sobre la carne.

Sirve inmediatamente.

UN TARTAR PERFECTO

No utilices el robot de cocina para cortar el tartar, porque harías una papilla. Tienes que cortar todos los ingredientes con el cuchillo. Y luego aromatizar generosamente tus elaboraciones para darles sabor.

Mousse de cacao y aguacate

PREPARACIÓN: 15 MIN / MACERACIÓN: 1 H

2 aguacates grandes
4 cucharadas de cacao en polvo
10 dátiles
1 naranja
2 cucharadas de avellanas
2 cucharadas de nibs de cacao

Lava la naranja, ralla la piel y extrae el zumo.

Marina los dátiles en el zumo de naranja y su ralladura durante 1 hora.

Extrae la pulpa de los aguacates.

Tritura los dátiles con el aguacate y el cacao en polvo.

Sirve la mousse en unas copas pequeñas y echa por encima las avellanas troceadas y los nibs de cacao.

¡CHOCOLATE!

Puedes reemplazar la naranja y el cacao por zumo de limón o lima y su ralladura, y obtendrás una rica mousse de limón o lima. Pero ¡no te prives de comer chocolate negro!, puesto que es un antioxidante excelente. Tómalo en tabletas de cacao o en una mousse de chocolate como esta, que aprovecha la untuosidad del aguacate.

Carrot cake raw

PREPARACIÓN: 20 MIN / REPOSO: 1 H

PARA 6-8 UNIDADES

4 zanahorias peladas y ralladas
200 g de harina de almendra
150 g de harina de coco
100 g de coco rallado
250 g de nueces peladas
50 ml de aceite virgen extra de coco
1 cucharadita de canela
½ cucharadita de jengibre en polvo
¼ de cucharadita de nuez moscada

Para la cobertura:
250 g de anacardos rehidratados
50 ml de leche de coco
2 cucharadas de aceite de coco
nueces peladas
pétalos de flores deshidratados

Trocea las nueces, aprieta la zanahoria rallada y extrae el máximo de líquido posible; mezcla todos los ingredientes y vierte la mezcla en un molde rectangular; compacta y déjalo reposar en la nevera durante una hora.

Con la ayuda de un procesador de alimentos o minipimer, trocea los anacardos con la leche de coco y el aceite; procesa hasta obtener una crema de textura uniforme y suave.

Alisa la masa y decórala con nueces troceadas y pétalos de flores; para acabar, déjala enfriar en la nevera.

LOS POSTRES CRUDOS

Contrariamente a lo que podríamos creer, hay infinidad de postres crudos. En algunos países como Australia tienen toda una pastelería gastronómica cruda. Sin embargo, debido a la gran cantidad de azúcar que contiene, no conviene abusar. En nuestras latitudes la mayor parte de los postres crudos se elaboran con fruta, y también mousses, cremas, coulis, pastas crudas secas elaboradas con frutos secos oleaginosos... Puedes recurrir al congelador para solidificar las elaboraciones en pocos minutos o en unas horas.

Batido de coco

PREPARACIÓN: 10 MIN

2 cocos frescos verdes
120 g de azúcar de coco
2 tazas de hielo

Extrae el agua y la carne del coco.

Tritúralo junto al azúcar y el hielo hasta que obtengas una consistencia bien cremosa del batido. ¡Sírvelo en el acto!

AÑADE UNA ISLA

Con clara de huevo escalfado o poché puedes elaborar una isla flotante riquísima. En la receta de la página 166 te cuento cómo hacer el huevo poché.

LECHES VEGETALES, IDEALES PARA TUS BATIDOS

El milk shake vegetal y otros smoothies son excelentes opciones para el desayuno o la merienda. Son también excelentes para matar el gusanillo. Puedes elaborar de manera fácil tu propia leche vegetal a partir de frutos secos oleaginosos (almendra o avellana) o de arroz. Deja los granos en remojo unas diez horas, y luego, después de enjuagarlos, pásalos con una batidora mezclándolos con agua mineral. Filtra bien la mezcla y conserva tu leche vegetal un máximo de tres días en la nevera. No te olvides de batirla bien antes de servir. El poso que obtienes después de filtrar, llamado «okara», puede utilizarse antes de cuarenta y ocho horas para elaborar la masa de un pastel o incluso, cuando esté seco, esparcido sobre un plato. Si quieres conseguir una «leche» que tenga una consistencia más cremosa, añade menos agua en la licuadora.

Tarta de chocolate y naranja

PREPARACIÓN: 35 MIN / REMOJO: 2 H / REPOSO: 2 H
PARA 10-12 RACIONES

Para la base:
100 g de nueces
100 g de nibs de cacao
15 dátiles medjool

Para la crema:
30 dátiles (con un remojo previo de 2 h y sin hueso)
25 g de cacao en polvo (tamizado)
100 g de manteca de cacao (derretida)
150 ml de zumo de naranja recién exprimido
Unas rodajas de naranja

Tritura las nueces y los nibs en la procesadora hasta que quede una harina con tacto aceitoso. Deshuesa y pica los dátiles, añádelos y amasa bien.

Cubre el molde con papel de horno, vuelca esta masa en la base y aplánala con la espátula.

Escurre bien los dátiles para la crema y, si lo deseas, guarda el agua de remojo (podrás aprovecharla añadiéndola a tus batidos o incluso para bebértela sola).

Tritúralos en la procesadora con el resto de ingredientes, excepto las rodajas de naranja, hasta obtener una crema suave.

Vierte la crema sobre la base y da golpecitos para que baje bien y se iguale dentro del molde.

Déjala reposar 2 horas en la nevera hasta que quede firme y decórala con la naranja.

MOUSSES VEGETALES

Esta crema de dátiles es cremosa por sí misma, pero a veces necesitarás una gelatina para conseguir una consistencia de mousse. En estos casos, no utilices grasa animal y opta por agar agar, un gelificante vegetal.

Mousse helada de mango

PREPARACIÓN: 15 MIN / REMOJO: 8 H

100 g de anacardos
2 mangos
300 ml de leche de coco
4 cucharadas de azúcar de coco
1 cucharadita de cardamomo molido
1 limón (el zumo)
2 tazas de hielo
una pizca de sal

Para decorar:
escamas de coco seco
unas hojas de menta fresca

Deja en remojo los anacardos entre
3 y 8 horas.

Cuela y lava los anacardos y tritúralos
a continuación con el resto de
los ingredientes hasta lograr una
consistencia bien cremosa.

Lo sirves en cuencos y por encima le añades
el coco y unas pocas hojitas de menta.

Lo ideal es servirlo al momento; si no,
lo mejor es guardarlo en el congelador.

Esta misma receta la puedes elaborar con
cualquier otra fruta de tu predilección.

HELADOS RAW

Los helados y los sorbetes son fáciles
de elaborar y estupendos para el verano.
No obstante, a veces no sienta bien comer
cosas demasiado frías. No conviene abusar.

Cookies de trigo sarraceno y cacao

PREPARACIÓN: 15 MIN / DESHIDRATACIÓN: 14 H

Para las cookies:

100 g de nueces

50 g de trigo sarraceno activado o germinado

13 dátiles en rama

25 g de cacao crudo

20 g de manteca de cacao

1 pizca de sal

60 ml de agua

Para la mermelada:

150 g de naranja

½ naranja (la ralladura)

20 dátiles en rama

Derrite la manteca de cacao al baño maría. Por otro lado, tritura el resto de los ingredientes de las cookies y mézclalos con la manteca derretida.

Extiende esta masa en las bandejas del deshidratador en una capa de 1 cm de espesor. Dales la forma que más te guste y deshidrata durante unas 12 horas a 45 °C. Dales la vuelta y deshidrata unas horas más.

Pela la naranja, saca las semillas y tritúrala con los dátiles y la ralladura hasta obtener una consistencia de mermelada.

EL DÁTIL, TODO DULZOR

El dátil es el encargado de dar el sabor dulce a esta receta. Ten en cuenta que un dátil de la clase rama pesa más o menos 10 g. Si usas dátiles más grandes, como los medjoul, pésalos y pon menos unidades. Si los dátiles están muy secos, te recomiendo ponerlos en remojo durante una media hora, o el tiempo que necesiten.

Vasitos con salsa de cerezas y frambuesas

PREPARACIÓN: 15 MIN / REPOSO: 8 H

400 ml de leche de arroz y coco
4 cucharadas de semillas de chía
2 cucharadas de miel
12 cerezas
12 frambuesas
1 vaina de vainilla
4 hojas de menta

Dispón la leche de arroz y coco en un cuenco y añade las semillas de chía y 1 cucharada de miel. Remueve unos instantes, tapa el recipiente y deja reposar en la nevera durante toda una noche.

Abre la vaina de vainilla a lo largo y retira las semillitas del interior con la punta de un cuchillito.

Lava las frambuesas y las cerezas, sécalas y retira el hueso a las segundas.

Pasa ambas frutas por la batidora junto con la miel restante y con las semillas de vainilla.

Monta el postre en vasitos de cristal alternando una capa de fruta con otra de semillas de chía y leche; termina con una de fruta.

Sírvelo enseguida, decorado con las hojitas de menta lavadas y secas.

Rollitos con frutas y crema de chocolate

PREPARACIÓN: 50 MIN

8 obleas de papel de arroz
1 manzana
2 nectarinas
8 fresas
2 kiwis
150 g de chocolate fondant
1 cucharadita de canela molida

Pela la manzana y las nectarinas, retira el corazón y el hueso y córtalas en bastoncitos.

Pela los kiwis y córtalos en rodajas finas.

Lava las fresas. Sécalas con cuidado, retira los pedúnculos y córtalas en láminas.

Sumerge una oblea en un plato con agua, deja que se empape unos instantes, retírala y sécala con papel absorbente.

Extiende la oblea y coloca cerca de uno de los bordes las frutas en rodajas y, sobre ellas, las que están cortadas en bastoncitos. Enróllala plegando las puntas hacia dentro. Repite la operación con el resto de las obleas.

Lleva a ebullición 100 ml de agua. Cuando rompa a hervir, retírala del fuego y añade un cuenco encima para hacer un baño maría con el chocolate troceado y la canela. Remueve hasta que el chocolate se funda.

Sirve los rollitos junto con la salsa caliente.

Bombones al cardamomo

PREPARACIÓN: 1 H / REPOSO: 2 H

125 g de manteca de cacao
125 g de pasta de cacao
100 g de trigo sarraceno activado y deshidratado
75 g de cacao en polvo
75 g de azúcar de coco
4 semillas de cardamomo
una pizca de sal

Derrite la manteca de cacao y la pasta en un baño de vapor.

Añade el cacao en polvo tamizado y una puntita de sal, despacio y sin dejar de remover.

Pasa el azúcar de coco por la batidora y, cuando la mezcla de cacao esté oscura, añádelo junto al cardamomo.

Remueve y termina con el trigo sarraceno que habrás pulverizado previamente.

Con una cuchara, vierte un poco en los moldes para hacer los bombones, sin llenar del todo.

Si quieres decorar con granos enteros de sarraceno, como ves en la foto, ponlos antes en el molde para que queden abajo.

Deja reposar a unos 18-20 °C hasta que esté sólido.

EL TRIGO SARRACENO

El trigo sarraceno es un cereal que se tolera muy bien y por tanto muy recomendado en el método Seignalet. Para estos bombones necesitas las semillas activadas, es decir, que han sido puestas en remojo para iniciar la germinación, y seguidamente deshidratadas. Las podrás encontrar en comercios especializados en alimentación biológica.

A FUEGO SUAVE

La cocción a fuego lento respeta la estructura molecular de los alimentos y permite preparar todo tipo de platos sanos a base de pescado y carne, verduras y frutas, así como también postres y pastelería. Este tipo de cocción, además de ser rápida, fácil y limpia, permite (re)descubrir el sabor y la textura de los alimentos naturales.

Además, en el marco del método Seignalet, las cocciones suaves son importantes ya que permiten limitar la cantidad de moléculas indigestas. Es sabido que aplicar temperatura a los alimentos destruye las vitaminas, lo que empobrece nuestra alimentación. Pero además de esto, las altas temperaturas en la cocina generan moléculas tóxicas que pueden perjudicar la permeabilidad del intestino. Se trata, entre otras, de las moléculas de Maillard, que son las que confieren a los alimentos el aspecto dorado. Son carbolinas o incluso isómeros que a nuestras enzimas les resulta difícil de diseccionar correctamente. Estas moléculas pueden desestabilizar la flora intestinal hasta llegar a crear una hipermeabilidad del intestino en las personas más sensibles.

Así pues, es necesario cocinar los alimentos utilizando métodos que alteren lo mínimo posible su estructura natural. Para la gran mayoría de ingredientes, bastará una temperatura de entre 65 y 85 °C. Es importante no superar los 110 °C, especialmente en el caso de los productos de procedencia animal, los aceites y los azúcares, que mutan fácilmente con el efecto del calor.

Los métodos que deben priorizarse son:

Estofado

Este método ha sido utilizado desde tiempo inmemorial en gran parte del mundo, desde las islas del Pacífico hasta el Sahara. Consiste en cocinar los alimentos cubiertos con un líquido que se absorberá totalmente. Ideal para el arroz y la quinoa.

Cocción al vapor

Para cocinar correctamente al vapor, es necesario que este sea activo y constante. Además de las vaporeras eléctricas, se pueden utilizar cazuelas con colador o tamiz, tipo olla para hacer cuscús. Pero como la composición de aluminio de las ollas tradicionales para hacer cuscús no es ideal, optaremos por una cazuela de acero inoxidable o de otro metal noble. También pueden usarse los cestos de bambú que los asiáticos colocan sobre las ollas. Son alternativas económicas, pero tienen el inconveniente de que tienden a conservar los olores, especialmente si las utilizas para el pescado, con lo que conviene tener varios. En la dieta Seignalet una buena vaporera es un utensilio que utilizarás a diario. Merece la pena escoger bien.

En cuanto a la olla a presión, en esta la temperatura sube hasta los 140 °C, así que solo puede contemplarse para cocinar legumbres (secas o frescas).

El baño maría

Consiste en calentar el contenido de un recipiente colocado dentro de otro lleno de agua hirviendo. Con este método, se puede cocinar huevos o fundir suavemente un chocolate.

Al horno o a la cazuela

La cocción a fuego lento también se puede hacer poniendo el fuego o el horno a baja temperatura. Para ello, tus cazuelas deben tener un fondo grueso y estar hechas de un metal de calidad que reparta bien el calor, como por ejemplo el acero inoxidable. Algunas ollas incluso incorporan un termómetro integrado en la tapa, lo cual te permite mantener la temperatura constante. Hacerte con una sonda térmica puede ayudarte a controlar este parámetro, incluso si cocinas al horno o si haces papillote.

Los dulces

Elaborar pasteles sin gluten y sin lácteos es más fácil de lo que parece. En este libro incluimos unas cuantas recetas que harán las delicias de los golosos, pero hay muchas más. Pastelitos, pasteles, cremas y postres...

Muchos pasteles tradicionales se pueden cocer al vapor: basta con alargar el tiempo de cocción prescrito para el horno. No tendrán un aspecto tostado ni estarán crujientes, pero seguirán siendo tiernos y esponjosos. Para que tengan un aspecto bonito, puedes esmerarte en decorarlos añadiendo algunos frutos rojos por encima o espolvoreándolos con cacao en polvo, por ejemplo.

Las recetas de galletas son fáciles de elaborar. Los sablés elaborados con trigo sarraceno, por ejemplo, son un pequeño tentempié estupendo; se meten en el horno 10 minutos y están listos.

Las mousses y los postres en general se preparan rápido y suavemente. Una buena mousse de chocolate, en realidad, no necesita cocinarse. Las mousses de vainilla, de crema de castaña o de fruta son variaciones interesantes.

Si preparas helados en casa podrás evitar su contenido habitual en lácteos y azúcares. Elaborarlos es fácil: puedes recurrir a las bebidas vegetales, las natas de frutos secos oleaginosos y los yogures vegetales.

Para todos los dulces, se deben respetar algunas reglas básicas:

Utiliza solo las harinas permitidas

Son las siguientes: trigo sarraceno, arroz, castaña, garbanzo o altramuz, por ejemplo. Como fécula, opta por la patata, la tapioca o el arrurruz.

Las harinas que se deben descartar, además del trigo tradicional, son las de maíz, centeno, avena, cebada, espelta (grande o pequeña), kamut y mijo. En cuanto a las féculas, elimina la maicena, porque contiene proteínas de maíz.

Decántate por las cocciones a fuego lento

Los pasteles contienen alimentos sensibles al calor, como las grasas que se emplean para elaborarlos, los huevos y el azúcar, que degeneran con las altas temperaturas.

Utiliza aceites que soporten bien el calor

Nos interesan el aceite de oliva, de cacahuete o incluso el aceite de coco, que aporta un delicado aroma a tus elaboraciones.

Sustituye la leche animal por una leche vegetal

Elimina todas las leches de origen animal cuando elabores cremas y postres. Basta con que sustituyas los productos lácteos por productos vegetales a base de arroz, soja, almendra o coco. También encontrarás nata vegetal para cocinar de arroz, soja o coco con los que sustituir la nata de vaca. Estas bebidas vegetales son muy útiles tanto para cocinar, como para los desayunos y los batidos caseros. Prueba también las bebidas de almendra y avellana. Son muy prácticas para darse un gusto sin tóxicos.

La soja contiene isoflavonas, de las que se cree que modifican el equilibrio hormonal y favorecen el cáncer de mama. Sin embargo, los estudios científicos se muestran contradictorios, y, como ocurre con muchas cosas, el riesgo de verdad se da cuando las cantidades son excesivas. Así que te recomiendo que consumas soja sin abusar, alternando la leche de soja con otras bebidas vegetales.

A EVITAR:

- Descarta cocinar en horno microondas, pues agita las moléculas de manera artificial y hay estudios que advierten de posibles efectos cancerígenos.

- Descarta los guisos de carne cocinada durante horas a altas temperaturas. Y elimina también las conservas que tengan ese tipo de carne.

- Evita las frituras, tan habituales, por ejemplo, en los productos del mar. Estos, por lo general, se cuecen en pocos minutos, así que no son necesarias las altas temperaturas.

- Descarta los frutos secos tostados. Las grasas que contienen generan moléculas peligrosas cuando se someten al calor. Si te gustan crujientes, los puedes deshidratar.

A TENER EN CUENTA:

- El corte de los ingredientes también interviene en la cocción, puesto que el tiempo de cocción a fuego lento varía en función de la textura y el tamaño de los alimentos. Cuanto más pequeños sean los trozos, menos tiempo necesitarán para cocerse.

- Utiliza aceites que resistan el calor en tus platos: aceite de oliva, de cacacuete o incluso aceite de coco, que además perfumará tus platos.

- Puedes combinar distintos tipos de cocción y combinar tus platos antes de servir. Así, por ejemplo, puedes preparar un guiso de verduras y añadirle en el último momento la carne, que habrás cocinado aparte.

- Adapta las recetas que siguen a tus necesidades. Las cantidades están calculadas para 4 personas.

¿Te apetece un yogurcito? En las tiendas encontrarás una gama cada vez más amplia y variada de yogures 100 % vegetales. Aparte del clásico de leche de soja, ahora se encuentran yogures elaborados con coco, y, en tiendas ecológicas, yogures hechos de almendra y de cáñamo. De todos modos, comprueba siempre los ingredientes de la etiqueta.

Las frutas pueden servirse en zumo, en macedonia o en carpaccio. También son ideales para elaborar sorbetes, coulis y compotas. No conviene cocerlas durante mucho tiempo y a fuertes temperaturas, porque se transforman enseguida en puré. Evita las mermeladas, porque a menudo se cuecen en exceso, y el azúcar es un ingrediente que muta con las altas temperaturas.

Verduras al vapor con mojo verde

PREPARACIÓN: 25 MIN / COCCIÓN 13 MIN

1 calabacín
2 zanahorias
1 coliflor pequeña
200 g de judías verdes
12 espárragos verdes

Para la salsa:
50 ml de aceite de oliva
1 cucharada de vinagre
2 ramitas de perejil
1 ramita de cilantro
2 dientes de ajo
sal y pimienta

Lava el perejil y el cilantro, y ponlos en el vaso de la batidora. Añade los ajos pelados, una pizca de pimienta, 1 cucharada de vinagre y el aceite. Tritura hasta conseguir una mezcla lisa y homogénea.

Despunta el calabacín. Limpia las judías y los espárragos, y raspa las zanahorias. Lava todas estas verduras con la coliflor. Parte en bastoncitos el calabacín y la zanahoria, en ramilletes la coliflor y trocea el resto.

Cuece al vapor las judías, la coliflor y las zanahorias 8 minutos. Añade los espárragos y el calabacín y prosigue la cocción unos 5 minutos. También puedes hacer las verduras a la papillote en el horno.

Reparte las verduras en platos, sazónalas y sírvelas con el mojo en un cuenco aparte.

Ensalada de hojas rellenas de salpicón de mar

PREPARACIÓN: 25 MIN / REPOSO: 30 MIN

150 g de pulpo cocido
16 langostinos cocidos
1 cebolleta
1 pimiento verde
1 pepino
2 tomates
4 hojas de cogollo de lechuga
4 hojas de endibia
unas hojas de perejil
1 cucharada de vinagre de Jerez
4 cucharadas de aceite de oliva
sal y pimienta

Limpia la cebolleta y el pimiento. Despunta el pepino. Lava y pica estas verduras. Lava también los tomates y pícalos retirándoles las semillas. Pela los langostinos y córtalos en trocitos. Corta el pulpo en trozos también pequeños.

Mezcla los ingredientes anteriores en un cuenco amplio y añade unas hojas de perejil lavadas y picadas. Salpimienta, riega con el vinagre y el aceite y remueve. Deja reposar en la nevera 30 minutos.

Lava las hojas de lechuga y de endibia. Rellénalas con el salpicón y sírvelas espolvoreadas con unas hojas de perejil lavadas y picadas.

Tortitas de quinoa y lentejas rojas

PREPARACIÓN: 10 MIN / COCCIÓN: 15 MIN

1 taza de quinoa
1 taza de lentejas rojas
1 pimiento verde pequeño
unos ramilletes de brócoli
1 calabacín pequeño
1 cebolla
hojas de kale
aceite de oliva
sal

Hierve la quinoa y las lentejas rojas en doble cantidad de agua durante 8-10 minutos.

Corta todas las verduritas en pequeñas porciones, cuécelas brevemente al vapor y reserva.

Cuando tanto la quinoa como las lentejas estén cocidas, escúrrelas, pásalas a un cuenco y cháfalas con el tenedor para obtener una masa gruesa (si la quieres fina, tritúralas por la batidora).

Mezcla la masa y las verduras con una cuchara. Sazónala.

Forma pequeñas hamburguesas y dóralas en la sartén brevemente, hasta que por fuera se vean crujientes.

QUINOA Y LENTEJAS, SABROSA COMBINACIÓN

A la quinoa también se la conoce como «el oro de los incas» por la gran riqueza de sus virtudes nutritivas. Contiene fibras y proteínas de calidad, poco habituales en los productos vegetales. La quinoa amarga, la más popular en Occidente, debe lavarse bien para eliminar las saponinas que rodean los granos. Además, en esta receta utilizamos las lentejas rojas, tan típicas de la India para preparar el delicioso dhal. Se deshacen más que las lentejas verdes o las negras clásicas así que son ideales para elaborar sopas y guisos o masas para tortitas y hamburguesas, como hacemos aquí. Se cuecen rápidamente y, como todas las lentejas, combinadas con quinoa (o con arroz) son un excelente y completo plato 100 % vegetariano (por sus proteínas vegetales).

Almejas y mejillones a las hierbas en papillote

PREPARACIÓN: 30 MIN / REMOJO: 30 MIN
COCCIÓN: 8 MIN

500 g de mejillones
500 g de almejas
1 limón
1 cucharada de aceite de oliva
1 diente de ajo
2 ramitas de perejil
2 tallos de cebollino
sal

Sumerge las almejas en un recipiente con agua fría y 2 cucharadas de sal. Déjalas en remojo 30 minutos, removiendo de vez en cuando para que suelten la arena. Luego enjuágalas y escúrrelas bien.

Limpia los mejillones, raspando las conchas para retirar las adherencias, y elimina también las barbas. Lávalos y escúrrelos.

Pela el diente de ajo y lava el perejil y el cebollino, y sécalos con papel de cocina.

Pica muy finos el ajo, el perejil y el cebollino y alíñalos con el aceite.

Precalienta el horno a 90°. Corta 4 hojas de papel de horno de 40 centímetros de lado y forra con ellas otras tantas cazuelitas refractarias. Distribuye en ellas las almejas y los mejillones, y añade un poco de la mezcla de ajo, perejil y cebollino en cada uno.

Coloca hacia arriba las cuatro esquinas, formando paquetes, y átalos con hilo de cocina. Colócalos en la placa y hornéalos 8 minutos. Ya puedes repartir las almejas y los mejillones en platos o cuencos y servir.

¡DATE UN FESTÍN DE MARISCO!

Naturalmente, asegúrate de que sea fresco. Aprovecha los beneficios del mar y de sus productos yodados, los crustáceos, los moluscos y las conchas. Si los haces marinados, obtendrás recetas suculentas, como los mejillones a la marinera, que son ideales para el aperitivo.

Ensalada de piña y langostinos

PREPARACIÓN: 20 MIN / COCCIÓN: 3 MIN

½ piña
2 aguacates
20 langostinos
1 cebolla roja
12 tomates cereza
1 limón (el zumo)

Para la vinagreta:
50 ml de aceite de oliva
2 cucharadas de vinagre de manzana
4 tallos de cebollino
sal y pimienta

Cuece los langostinos en agua salada 3 minutos, escúrrelos y enfríalos en agua con hielo. Pélalos y retira el intestino.

Pela la piña y retira los ojos y el centro más duro.

Pela también los aguacates, elimina los huesos y trocéalos. Si lo riegas con unas gotas de zumo de limón evitarás que se oxide.

Corta la piña en trozos de la misma medida que los aguacates.

Pela la cebolla y pártela en plumas. Lava los tomates y córtalos por la mitad. Lava el cebollino y pícalo.

Bate el aceite, el vinagre, el cebollino picado, sal y pimienta hasta obtener una salsita homogénea.

Mezcla en un cuenco grande la piña, el aguacate, la cebolla y los tomates. Repártelos en 4 platos llanos, distribuye los langostinos y sírvelos regados con la vinagreta de cebollino.

Ensalada de arroz con nori y germinados

PREPARACIÓN: 20 MIN / COCCIÓN: 30 MIN

400 g de arroz integral
4 hojas de alga nori
1 puñado de semillas germinadas
1 puñado de germinados de alfalfa o de pipas de girasol
1 aguacate grande
1 zanahoria
2 cucharadas de semillas de sésamo

Para la vinagreta:
100 ml de zumo de manzana
2 cucharadas de tamari
1 trocito de jengibre
3 dátiles sin hueso, de la variedad medjool
2 cucharadas de vinagre de manzana

Lava el arroz con agua fría y cuécelo en agua abundante, en una olla a fuego medio y destapada, durante 30 minutos. Pasado el tiempo comprueba que está cocido, apaga el fuego y cuela el arroz, deja reposar solo 10 segundos, colócalo inmediatamente en la misma olla (sin agua) y tápala. Asegúrate de que la tapa cierre bien y no se escape el vapor. Deja reposar el arroz 10 minutos y luego remueve con un tenedor para separar los granos. Pásalo a un cuenco grande.

Prepara la vinagreta triturando todos los ingredientes con la batidora.

Corta las hojas de alga nori en tiritas alargadas y resérvalas.

Corta la zanahoria en juliana y el aguacate en daditos.

A continuación, mezcla cuidadosamente el arroz con la zanahoria, el aguacate, los germinados y el sésamo.

Agrega a la ensalada la vinagreta preparada y deja que se impregne todo unos minutos antes de servirla en la mesa.

Para terminar, espolvorea la ensalada con el alga nori, mezcla los ingredientes cuidadosamente y sírvela en cuencos individuales.

UN RECURSO EN LA NEVERA

Cuando prepares arroz, legumbres o algún otro alimento feculento, haz en cantidad para varias comidas. Ya sean solos o con salsa, en un plato caliente o en ensalada, los alimentos feculentos ofrecen un montón de posibilidades y variaciones. Por ejemplo, con unas simples lentejas a las que añadas una carne preparada al vapor y algunas cebollitas, obtendrás un buen plato invernal. Pero también podrás elaborar una ensalada de lentejas con cebolleta tierna y trocitos de salmón ahumado, un caviar de lentejas o, por qué no, una rica sopa, cuando las mezcles con unos tomates pelados.

Ensalada de garbanzos con vinagreta de tomate

PREPARACIÓN: 10 MIN

400 g de garbanzos cocidos
2 zanahorias
1 pimiento rojo
1 pimiento verde
1 cebolla morada
150 g de brotes de espinacas
80 g de rúcula

Para la vinagreta:
1 cucharada de perejil picado, 1 tomate
2 cucharadas de vinagre de vino blanco
2 cucharadas de aceite de oliva, sal

Raspa las zanahorias, pela la cebolla y corta en dados.

Lava los pimientos, límpialos y pártelos igual.

Enjuaga los garbanzos. Mezcla todos los ingredientes
en un cuenco, sazona y remueve.

Prepara la vinagreta: lava el tomate y trocéalo. Mézclalo con
el vinagre, el aceite, el perejil y sal. Bate con un tenedor o
con varillas hasta que se incorporen todos los ingredientes.

Añade la rúcula y las espinacas lavadas, mezcla bien,
mejor con 2 cucharas, y reparte en los platos. Riega con
la vinagreta y sirve enseguida.

EN LUGAR DE PAN...

Si estás habituado a acompañar tus comidas con pan, te será más fácil prescindir de él si añades un alimento feculento a tus platos. Acompaña esta ensalada con un cuenco de arroz, quinoa o trigo sarraceno, o con patata cocida, que casan muy bien con la legumbre y obtendrás proteínas de alta calidad. Como hacen en Asia, donde siempre hay un cuenco de arroz acompañando otros platos, prepara estos alimentos feculentos con antelación y de esta manera no caerás en la tentación de sucumbir ante un trozo de pan cuando estés muerto de hambre.

Espaguetis soba al curry con anacardos

PREPARACIÓN: 15 MIN / COCCIÓN: 20 MIN

350 g de espaguetis soba
1 cebolla blanca
1 pimiento rojo
1 zanahoria mediana
3 cebolletas
2 dientes de ajo
80 g de anacardos crudos
125 ml de caldo vegetal
1 cucharada de tamari
2 cucharaditas de curry
aceite de oliva virgen

Cuece los espaguetis soba en agua hirviendo hasta que queden al dente, sin pasarse. Viértelos después en una escurridera y enjuágalos bien con agua fría.

Corta la cebolla en rodajas, el pimiento a tiras, la zanahoria en juliana fina y las cebolletas en diagonal. Echa todas estas verduras en un wok con aceite de oliva, añade luego el ajo en rodajas junto con los anacardos, y sofríelo todo a fuego medio durante 4 o 5 minutos. Asegúrate de que el aceite no coja demasiada temperatura; si bien las verduras toleran bien el salteado, las grasas pueden generar moléculas indigestas.

Échale el caldo vegetal, el tamari y el curry. Le das a todo un hervor y, en ese momento, incorpora los espaguetis y dales unas vueltas hasta que estén calientes.

PASIÓN POR LA PASTA

Si te apasiona la pasta, aprovecha los espaguetis soba, que están hechos con trigo sarraceno, libre de gluten, así que puedes darte el gusto. Puedes darle un toque distinto añadiendo, en el último momento, un poco de algas wakame rehidratadas y cortadas finamente.

Paella con alcachofas

PREPARACIÓN: 20 MIN / COCCIÓN: 40 MIN
REPOSO: 5 MIN

450 g de arroz integral de grano redondo
100 g de pimiento verde
150 g de pimiento rojo
150 g de soja texturizada gruesa
200 g de guisantes
225 g de garrofones (pallar o judía del Perú)
5 tomates maduros
4 dientes de ajo
3 alcachofas grandes
2 limones (el zumo)
1 rama de perejil
5 hebras de azafrán
aceite de oliva virgen extra
sal

Ralla los tomates y resérvalos. Pela y pica los dientes de ajo y lava y pica el perejil. Corta los pimientos en tiras de 1 × 5 centímetros. Exprime los limones y vierte el zumo en un cuenco con agua fría. Resérvalo todo.

En otro cuenco, pon a hidratar con agua caliente la soja texturizada y 4 hebras de azafrán previamente machacado en un mortero. Reserva.

Deshoja las alcachofas y córtalas en 8 partes. Sumérgelas en el agua con limón para evitar que se oxiden.

Sofríe brevemente el tomate rallado y el ajo y el perejil picados en un chorro de aceite de oliva. No dejes de remover.

Incorpora el pimiento, la alcachofa y la soja texturizada escurrida, sin dejar de remover. Seguidamente, agrega los guisantes, los garrofones, el azafrán y una pizca de sal. Saltea hasta que las verduras tomen color.

Añade el arroz y vierte agua tibia hasta alcanzar la altura exacta del cruce. Remueve suavemente y cuece durante 30 minutos.

Transcurrido el tiempo, prueba y rectifica de sal. Dependiendo del grado de cocción del grano, puedes añadir un poco más de agua tibia y continuar con la cocción hasta que esté en su punto, sin remover.

Cuando el arroz esté listo (pruébalo para asegurarte), aparta la paella del fuego y deja reposar 5 minutos antes de servir.

Timbal de arroz y tartar vegetal

PREPARACIÓN: 20 MIN / COCCIÓN: 20 MIN

150 g de arroz integral
150 g de lentejas rojas
1 cebolleta
2 dientes de ajo
2 zanahorias
2 aguacates
2 manzanas
1 lima
1 limón
1 cucharadita de cúrcuma en polvo
1 cucharadita de miel
flores de ajo
aceite de oliva virgen extra
sal

Hierve el arroz y las lentejas por separado. Escúrrelas y déjalas enfriar.

En el vaso de batidora mezcla 75 ml de aceite, el zumo y la ralladura de la lima, una cucharadita de cúrcuma y otra de miel. Emulsiona hasta que consigas una salsa uniforme.

Para preparar el tartar, pica las hortalizas y mézclalas en un cuenco junto con la salsa.

Rellena un aro de moldear alternando capas de arroz, lentejas, láminas de manzana, tartar y aguacate.

Desmolda y decora los timbales con tiras de zanahoria, flor de ajo y sésamo negro.

ACTIVA LAS LEGUMBRES

Algunas legumbres secas, como los garbanzos o las judías, necesitan estar cierto tiempo en remojo en agua fresca que habrá que renovar varias veces. Dejándolos en agua el tiempo suficiente, activarás la germinación, lo cual optimiza el carácter nutritivo de los granos. Aunque estos alimentos aguantan bastante bien las cocciones a fuego fuerte, como por ejemplo en la olla exprés, que es más rápida, es preferible cocerlos a fuego suave. Al ponerlas en remojo previamente, conseguirás un tiempo de cocción mucho más corto.

Huevos escalfados con judías verdes

PREPARACIÓN: 40 MIN / COCCIÓN: 15 MIN

4 huevos
40 g de sobrasada
600 g de judías verdes
40 g de beicon ahumado
8 aceitunas negras sin hueso
tomillo seco
sceite de oliva
sal y pimentón

Corta 4 trozos de film transparente y extiéndelos sobre la superficie de trabajo. Pincélalos con aceite y forra con ellos 4 flaneras. Echa 1 huevo en cada una, un poco de tomillo y sal.

Une los extremos del film y haz un nudo; cuece los paquetitos 4 minutos en agua hirviendo.

Limpia el beicon retirando la corteza y córtalo en trocitos. Escurre y pica las aceitunas.

Despunta y lava las judías. Córtalas en tiras y cuécelas al vapor 12 minutos. Repártelas en los platos con el beicon.

Añade los huevos, pon encima las aceitunas, espolvorea con pimentón y ya puedes servir.

Huevos mollet con puré de patatas y verduras

PREPARACIÓN: 40 MIN / COCCIÓN: 1 H

4 huevos
500 g de patatas
1 manojo de espárragos verdes
1 zanahoria
100 g de judías verdes
2 dientes de ajo
6 cucharadas de aceite de oliva
½ cucharadita de pimentón
1 cucharada de vinagre de jerez
Sal y pimienta

Limpia bien los espárragos, trocéalos, cuécelos durante 5 minutos en agua salada y escúrrelos.

Despunta las judías verdes y retira las hebras. Lávalas, sécalas con papel absorbente y córtalas en juliana. Cuécelas de 7 a 10 minutos al vapor.

Raspa y lava la zanahoria. Córtala en láminas finas a lo largo, con un pelador, y escáldalas 15 segundos en agua salada; refréscalas en agua fría y escúrrelas.

Lava las patatas, pélalas, córtalas en dados pequeños y cuécelas al vapor unos 20 minutos. Pásalas a un cuenco. Salpimienta ligeramente, añade 2 cucharadas de aceite de oliva y aplástalas con un tenedor hasta formar un puré.

Pela los ajos, córtalos en rodajas y sumérgelos en el resto del aceite en un cazo a fuego suave, 30 minutos. Escúrrelos, añade el vinagre y el pimentón, y remueve.

Cuece los huevos durante 5 minutos en un cazo con agua salada, refréscalos con agua fría y pélalos.

Reparte el puré de patata en 4 platos, con aros de repostería, retíralos y cubre con las hortalizas. Régalas con el refrito de ajo, dispón los huevos en el centro y sirve en seguida.

Blinis con salmón y huevo poché

PREPARACIÓN: 15 MIN / REPOSO: 15 MIN

4 lonchas de salmón ahumado
4 huevos
brotes al gusto
sal y pimienta

Para los blinis:
100 g de trigo sarraceno
1 cucharadita de levadura en polvo
150 ml de agua
1 huevo
aceite de oliva
sal y pimienta molida

Pon el trigo sarraceno en el vaso de la batidora y pulveriza 1 minuto a alta potencia. Agrega la levadura, el agua, el huevo, la sal y la pimienta y mezcla 30 segundos velocidad media. Pasa la masa a un biberón de cocina y déjalo reposar de 10 a 15 minutos dentro del frigorífico.

En una sartén antiadherente engrasada con aceite, vierte pequeñas porciones de masa formando rodeles de 5 a 7 cm de diámetro. Cuando aparezcan burbujas de aire en la superficie de los blinis dales la vuelta y termina de dorarlos. Repite el proceso hasta acabar con toda la masa.

Para cocer los huevos, forra el interior de una taza con papel film, de modo que sobresalga por encima. Engrasa ligeramente el papel film con aceite. Casca un huevo y salpiméntalo. Con cuidado cierra el papel film en forma de paquete, y átalo con hilo de cocina, procurando que no quede aire en el interior.

Coloca el paquete en agua caliente hirviendo suave durante 4 minutos. Una vez pasado el tiempo extrae el paquete con cuidado con una cuchara e introdúcelo en una taza de agua muy fría para cortar la cocción. Repite el proceso con todos los huevos.

Monta el plato con los blinis, una loncha de salmón ahumado, el huevo encima y los brotes para decorar. Puedes añadir unas gotas de una vinagreta al gusto.

CREPES, TORTITAS Y BLINIS, VERSÁTILES Y DIVERTIDOS

Estas preparaciones se elaboran en pocos minutos y ofrecen un sinfín de posibilidades. Pueden ser dulces y saladas, y tanto sirven para el desayuno o la merienda como la comida: la tortita de trigo sarraceno, una especialidad bretona, puede rellenarse al gusto de cada cual, con huevo, vieiras o champiñones, por ejemplo. Las crepes dulces son fáciles de elaborar con harina de arroz. En cuanto a los blinis, como no puedes utilizar copos de avena, la alternativa es preparar la receta con copos de arroz o de trigo sarraceno, que queda riquísimo con salmón, como ves aquí. Como la masa de sarraceno se desintegra fácilmente, añadimos un huevo a la preparación. Además, sustituimos la clásica mantequilla para cocinarla por un aceite de de cacahuete, que no se desestabiliza con las altas temperaturas.

Rollitos de pollo al vapor con almendras

PREPARACIÓN: 40 MIN / COCCIÓN: 35 MIN

8 filetes de pechuga de pollo
100 g de judías verdes planas
1 penca de apio
3 zanahorias
1 cucharada de orégano
30 g de almendras fileteadas
1 cucharada de vinagre
4 cucharadas de aceite de oliva
sal y pimienta

Lava y seca los filetes de pollo. Ponlos entre 2 hojas de papel de hornear y aplánalos con el rodillo. Salpimiéntalos y espolvoréalo con orégano.

Limpia las judías y el apio, y raspa las zanahorias. Lávalos y sécalos. Corta el apio y 2 zanahorias en bastoncitos, la zanahoria restante, en rodajas, y las judías por la mitad a lo largo.

Cuece las verduras al vapor durante 15 minutos y déjalas enfriar. Reparte los bastoncitos y las judías verdes en el centro de los filetes, enróllalos y sujétalos con hilo de cocina.

Cuécelos al vapor durante 20 minutos. Mezcla las rodajas de zanahoria con las almendras y aliñalas con aceite, vinagre y sal. Sirve los rollitos calientes con esta guarnición.

CARNES AL VAPOR

El pollo y el pavo son muy indicados para cocer al vapor. La carne no se seca y queda mucho más tierna.

Conejo en papillote con coriandro y verduritas

PREPARACIÓN: 15 MIN / MARINADO: 1 H
COCCIÓN: 30 MIN

1 conejo
2 zanahorias
1 calabacín
250 g de guisantes
sal y pimienta

Para la marinada:
4 dientes de ajo
1 limón (el zumo)
6 cucharadas de aceite de oliva
semillas de cilantro
sal y pimienta

Pela los dientes de ajo y échalos en un mortero con las semillas de cilantro. Machácalos y agrega el zumo de limón, sal y pimienta. Agrega 6 cucharadas de aceite de oliva y sigue majando. Vierte esta mezcla sobre el conejo ya troceado y déjalo marinar durante 1 hora.

Prepara 4 cuadrados grandes de papel sulfurizado y distribuye el conejo sobre ellos. Riégalo con el jugo de la marinada.

Pela las zanahorias y lava el calabacín y corta ambas hortalizas en tiras. Repártelas en los papillotes.

Cierra las envolturas, salpimienta y coloca en la cesta de la vaporera. El tiempo de cocción variará según el tamaño de las piezas; probablemente a los 30 minutos ya estará listo para servir.

Magret de pato con higos

PREPARACIÓN: 20 MIN / COCCIÓN: 8 MIN

2 magrets de pato
4 higos
sal y pimienta
perejil

Haz unos cortes paralelos, separados unos tres milímetros, en la piel del magret. Después, a la misma distancia, cortes perpendiculares.

Ponlos sobre una sartén grande con la piel boca abajo, salpimienta y déjalo a fuego lento un par de minutos. Dale la vuelta, déjalos un par de minutos más, retíralos y resérvalos sobre papel de cocina.

Lava los higos y córtalos en cuartos. Pásalos a la sartén para que se cuezan en la grasa que ha soltado el pato. Bastarán entre 3 y 5 minutos a fuego lento, con la sartén tapada.

Corta el magret en filetes finos, rectifica de sal y pimienta y sirve con los higos y su salsa y un poquito de perejil para decorar.

UNA CARNE MÁS DIGERIBLE

La grasas de oca y de pato son reconocidas por sus beneficios cardiovasculares. Resisten bien el calor, pero cuando se forma una corteza crujiente sobre la pieza de carne, significa que se han formado moléculas indigestas que muchas personas toleran mal. Si es tu caso, corta y rechaza esta parte y quédate con la carne del interior, que es más digerible.

Estofado de pavo al limón con hierbas provenzales

PREPARACIÓN: 40 MIN / COCCIÓN: 30 MIN

600 g de pechuga de pavo
2 cebollas pequeñas
4 zanahorias
1 limón
1 diente de ajo
1 ramita de perejil
una pizca de orégano
una pizca de tomillo
una pizca de comino
aceite de oliva
sal y pimienta

Lava la carne, sécala y córtala en dados. Dóralos en una cazuela con 3 cucharadas de aceite. Salpimienta y reserva.

Rehoga las cebollas, peladas y cortadas en rodajas finas, en el mismo aceite, 10 minutos. Agrega las zanahorias, lavadas, peladas y cortadas en rodajas, y cuece 4 minutos más. Sazona con sal, pimienta, comino, tomillo y orégano, y espolvorea con el perejil, lavado y picado.

Incorpora los dados de pavo y espolvoréalos con la mitad de la piel de limón, lavada y cortada en tiritas.

Vierte 1 vaso de agua, tapa y cuece a fuego lento, 15 minutos. Ajusta el punto de sal y sírvelo enseguida.

DORAR LA CARNE: UNA ALTERNATIVA

Las carnes que cuecen a fuego lento quedan más tiernas y tienen más sabor. Las carnes contienen colágeno, que se pone blando a partir de los 55 °C. Si no queremos renunciar a esa coloración que le da un toque sabroso, podemos marinar la carne en especias, sazonarla con hierbas y semillas o cubrirla con una salsa.

Lubina al vapor con puré de zanahorias

PREPARACIÓN: 20 MIN / COCCIÓN: 32 MIN

2 lubinas
sal y pimienta

Para el puré:
400 g de zanahorias
1 cebolleta
50 ml de crema de soja
aceite de oliva
sal y pimienta

Para la salsa:
150 de mayonesa
50 g de mostaza
unas ramitas de perejil

Limpia y eviscera las lubinas (también puedes pedir que te las limpien en la pescadería). Realiza unos cortes en los lomos para facilitar el trabajo del vapor. Sécalas con papel de cocina, salpimienta y colócala en el cestillo de la vaporera. Es importante que el pescado no toque el agua. Tapa y cuece a fuego medio sin levantar la tapa para que no se escape el vapor. Cuece unos 20 minutos, dependiendo del grosor del pescado.

Para preparar la salsa, mezcla la mayonesa con la mostaza y el perejil lavado y picado.

Raspa las zanahorias y limpia la cebolleta. Lávalas, córtalas en trozos pequeños y cuécelas también al vapor (utiliza otro cestillo) 12 minutos. Tritura, salpimienta y añade 50 ml de crema de soja.

Saca las lubinas del horno, déjalas templarse y quita la costra. Sirve los lomos limpios con la salsa de mayonesa y el puré de hortalizas.

MAYONESA CASERA

La mejor manera de comer el huevo es crudo, y por supuesto debe de ser muy fresco. La mayonesa es una buena opción. Se puede hacer de múltiples maneras: aquí la mezclamos con mostaza y perejil, pero también puedes hacer una salsa tártara con alcaparras y perejil, una salsa rosa con una pizca de tomate concentrado, con ajo para el alioli (también se puede elaborar sin huevo, con una patata hervida hecha puré). Si quieres que tu salsa sea más espesa, puedes añadir puré oleaginoso tipo tahini o añadirle aguacate chafado.

Bacalao en papillote con salsa verde

PREPARACIÓN: 20 MIN / COCCIÓN: 30 MIN

4 filetes de bacalao fresco
  de unos 150 g cada uno
2 calabacines
1 limón
sal y pimienta

Para la salsa:
unas ramitas de perejil
4 pepinillos en vinagre
2 cucharadas de alcaparras
2 cucharadas de aceite de oliva

Precalienta el horno a 90 °C. Dispón sobre una bandeja de horno 4 láminas de papel sulfurizado y engrásalos ligeramente con un chorrito de aceite de oliva.

Corta el limón (lávalo antes) en rodajas finas.

Lava el bacalao, escúrrelo y sécalo con cuidado con papel absorbente. Colócalo sobre el papel de hornear.

Lava el calabacín y córtalo en pequeños dados. Repártelos en los papillotes.

Salpimienta el pescado, distribuye las rodajas de limón por encima y cierra los papillotes. Hornéalos 30 minutos.

Mientras se cuece el bacalao, prepara la salsa. Lava el perejil y sécalo. Tritúralo con las alcaparras, los pepinillos y el aceite de oliva. Añade una cucharada del vinagre de los pepinillos. Sigue triturando hasta obtener una salsa homogénea. Salpimienta.

Saca los papillotes del horno, ábrelos y aplica una cucharada de salsa sobre cada uno. Ya está listo para servir.

Atún a la plancha con puerros

PREPARACIÓN: 20 MIN / COCCIÓN: 10 MIN

4 medallones de atún
2 puerros
4 cucharadas de gelée de rosa
  (en tiendas gourmet)
5 cucharadas de aceite de oliva
flores de uso alimentario
sal gorda
pimienta rosa

Limpia los puerros eliminando la parte verde y la capa exterior, lávalos bien y córtalos en rodajas finas.

Calienta 3 cucharadas de aceite en una cazuela, añade los puerros y déjalos cocer, tapados y a fuego lento, durante 8 o 10 minutos.

Lava los medallones de atún y sécalos con papel de cocina.

Cocina el atún 1 minuto por cada lado, en una plancha engrasada con el resto del aceite. Retira los medallones y córtalos por la mitad.

Reparte los puerros en 4 platos y dispón encima el pescado. Espolvoréalo con sal y con unos granos de pimienta rosa ligeramente machacados, y sirve con las flores y con el gelée.

Dorada al vapor con salsa de lima

PREPARACIÓN: 20 MIN / MACERACIÓN: 10 MIN
COCCIÓN: 8 MIN

4 doradas de ración en filetes
½ pimiento rojo
1 pimiento verde
1 ramita de cilantro
2 limas
1 diente de ajo
2 cucharadas de salsa de soja
1 cucharada de sésamo
1 cucharadita de azúcar
sal y pimienta

Limpia los pimientos, lávalos y córtalos
en cuadraditos. Pela el ajo y pícalo fino. Lava
el cilantro, escúrrelo bien y pícalo también.

Exprime una lima y filtra el zumo obtenido.
Vierte el zumo en un cuenco y añade el ajo, la salsa
de soja y el azúcar. Remueve con varillas manuales
hasta que se incorporen bien los ingredientes.
Agrega los pimientos y el cilantro, y deja macerar
unos minutos.

Lava el pescado, sécalo y parte los filetes por la
mitad. Salpiméntalos y cuécelos 8 minutos al vapor.

Sírvelos espolvoreados con el sésamo y
acompañados de la vinagreta de pimientos,
y con la lima restante lavada y cortada en gajos.

Tarta de naranja al vapor

PREPARACIÓN: 10 MIN / COCCIÓN: 1 H 30 MIN

225 g de almendra molida
200 g de azúcar integral de caña
5 huevos
4 naranjas grandes

Lava 2 naranjas y ponlas enteras a hervir en un cazo, durante media hora. Deja enfriar. Retira el exceso de agua y trocéalas. Tritúralas con la piel incluida hasta obtener un puré. Reserva.

Lava y seca las naranjas restantes. Córtalas en láminas de unos 2 mm con una mandolina.

Mezcla en un cazo 50 g de azúcar integral con medio vaso de agua. Pon al fuego y remueve hasta que se disuelva bien. Añade los trozos de naranja hervidos y prosigue la cocción a fuego lento, 10 minutos. Retira el cazo del fuego y deja enfriar.

Casca los huevos en un cuenco grande y bate unos 10 minutos, hasta que doblen su tamaño. Agrega el azúcar restante y bate otros 5 minutos. Añade la almendra molida y el puré de naranja y mezcla hasta que la masa esté bien integrada.

Coloca las rodajas de naranja confitada en el fondo de un molde de silicona. Corta el resto de rodajas por la mitad y forra el lateral del molde. Reserva el almíbar sobrante.

Rellena el molde con la masa procurando que no se mueva la naranja confitada. Tápalo con papel de hornear y átalo alrededor. Introduce el molde en una olla con agua ya caliente hasta mitad del molde. Tapa la olla y cuece a fuego medio durante 45 minutos. Pasado ese tiempo, deja enfriar y desmolda con cuidado.

En el momento de servir pincela con el almíbar sobrante.

Galletas de almendras

PREPARACIÓN: 20 MIN / COCCIÓN: 25 MIN

150 g de harina de arroz integral
50 g de almendras
60 g de azúcar de caña integral
60 g de almendra en polvo
25 almendras enteras
10 ml de agua
1 naranja de cultivo ecológico

Precalienta el horno.

Calienta un poco el agua, de modo que esté tibia. Mezcla el puré de almendras con el agua para obtener una crema líquida.

Mezcla la harina de arroz con el azúcar de caña y las almendras en polvo. Luego vierte la crema de almendras.

Lava la naranja y ralla la piel hasta obtener la cantidad de una cucharada.

Espolvorea harina sobre una superficie de trabajo y sobre el rodillo. Vierte la masa y amasa hasta que forme una bola muy flexible y un poco pegajosa.

Forma churros de masa de medio centímetro de espesor y aplánalos sobre la superficie. Corta las galletas con un molde o con el borde de una tacita.

Para despegar las galletas, desliza la hoja de un cuchillo debajo de la masa y levántala suavemente. Colócalas sobre una bandeja para hornear enharinada o forrada con papel para hornear. Coloca una almendra sobre cada una.

Hornéalas unos 25 minutos a 90 °C y déjalas enfriar en el horno.

MASA MULTIUSOS

Puedes utilizar esta masa para preparar un pastel de frutas. Extiéndela directamente sobre papel de hornear para formar una torta de unos 25 cm de diámetro. Coloca por encima las frutas que quieras, y hornea. O mejor aún, hornea la masa y adorna con la fruta fresca en el momento de servir.

Muffins de chocolate y arándanos

PREPARACIÓN: 5 MIN / COCCIÓN: 45 MIN
PARA 8 MUFFINS

1 yogur de soja de 125 g
50 ml de aceite de oliva
80 g de azúcar de caña
2 huevos
160 g de harina integral de arroz
20 g de harina de castañas
2 cucharadas de levadura bio sin gluten
30 g de chocolate al 70 % de cacao
30 g de arándanos secos

Pon a calentar el agua en la cazuela vaporera.

Mezcla el yogur de soja con el aceite de oliva y el azúcar de caña. Agrega los huevos.

Vierte las harinas de arroz y de castaña con el polvo de hornear sin gluten. Mezcla vigorosamente.

Corta el chocolate negro en trozos pequeños y agrégalos a la masa. Añade los arándanos.

Llena los moldes para muffins (de vidrio o cerámica) previamente engrasados con aceite de oliva. Procura que la masa no supere los tres cuartos de la altura del molde. (Con esta cantidad podrás hacer 8 muffins.)

Coloca los moldes en la cesta de la vaporera e introdúcela en la cazuela. Cuece durante 45 minutos a fuego muy suave.

REPOSTERÍA
AL HORNO SUAVE

Al igual que si los hicieras
en el horno, no debes destapar
la vaporera hasta pasados unos
30 minutos; la masa podría
bajar. De hecho, estos muffins
también se pueden hacer al
horno. Para hornear pasteles
a temperatura suave, es
importante introducirlos
en el horno precalentado.
Utiliza moldes pequeños (evita
el molde de cakes, demasiado
profundo) o bandejas. Y deja
que se enfríen en el horno;
de este modo terminarán su
cocción suavemente.

Bizcocho de zanahoria al vapor

PREPARACIÓN: 15 MIN / COCCIÓN: 45 MIN

150 g zanahorias
100 g harina sin gluten
50 g de almendras crudas
75 g de azúcar integral
50 g de aceite de girasol
50 g de coco rallado
3 huevos
½ sobre de levadura sin gluten

Pon a calentar agua en la vaporera.

Pela y pica las zanahorias y las almendras en una trituradora.

Bate los huevos con el azúcar.

Añade el coco, el aceite y la mezcla de zanahorias y almendras, y bate hasta lograr una masa bien cremosa.

Agrega la harina y la levadura y sigue batiendo.

Vierte la preparación en un molde redondo de 18 cm, previamente untado de aceite, y espolvorea con coco rallado.

A continuación, coloca el molde en el tamiz de la vaporera cuando el agua del depósito hierva.

Tapa y cuece durante unos 45 minutos.

Puedes decorarlo como en la foto: con una juliana muy fina de limón y zanahoria y unas hojitas de menta.

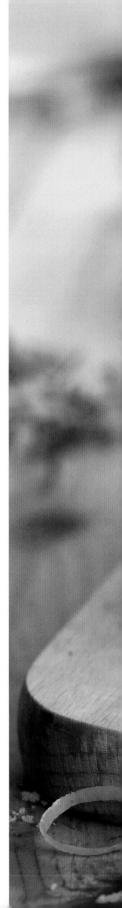

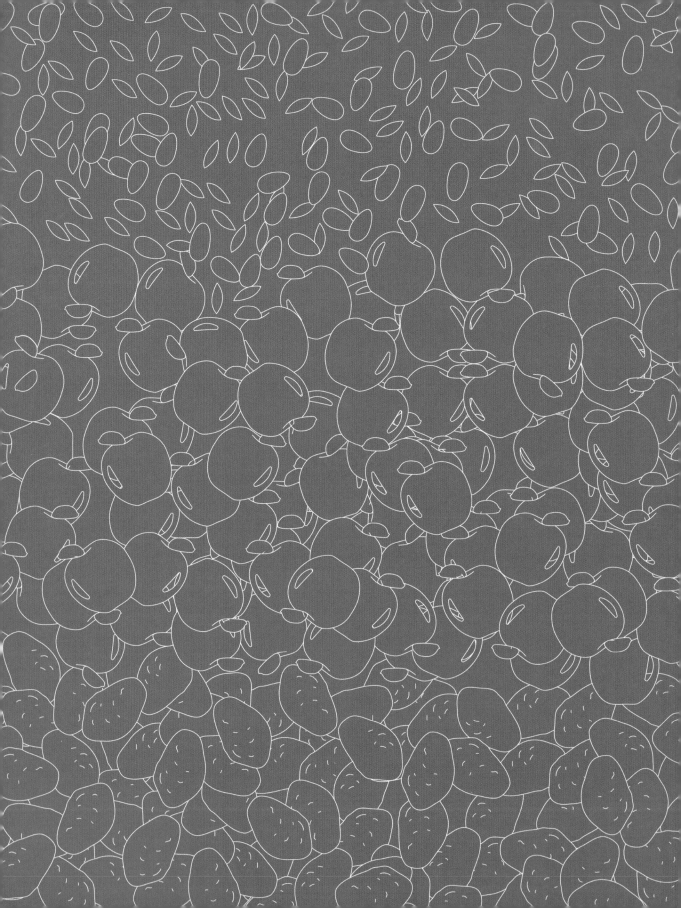

LOS RESULTADOS

Las investigaciones del dr. Seignalet

Jean Seignalet, médico diplomado en inmunología y hematología, practicó durante diez años la medicina general y especializada en el contexto hospitalario y con posterioridad se dedicó a la biología y la investigación. Considerado uno de los pioneros del trasplante de órganos por su investigación sobre HLA (antígeno leucocitario humano), fundó el laboratorio de histocompatibilidad del Hospital Universitario de Montpellier, que dirigió durante treinta años. También es autor de más de 230 publicaciones en revistas médicas nacionales e internacionales.

Su investigación sobre la inmunidad lo llevó a desarrollar, en 1988, una primera teoría sobre la relación entre la dieta y las enfermedades autoinmunes. Los éxitos obtenidos por su método atrajeron, a través del boca a boca, a muchos pacientes con enfermedades diversas. Jean Seignalet siguió voluntariamente a varios miles de pacientes y obtuvo una tasa de éxito sin igual en enfermedades que todavía hoy se consideran incurables.

Las investigaciones más avanzadas confirman hoy en día la concepción visionaria de la medicina del doctor Seignalet y emplazan definitivamente la alimentación en el epicentro de la medicina moderna.

El libro *La alimentación, la tercera medicina* (RBA Integral, 2016) expone los fundamentos del régimen del doctor Seignalet y describe los resultados obtenidos y que se resumen en las tablas que reproducimos a continuación.

LAS TABLAS DE RESULTADOS

En las tablas siguientes se reproducen los resultados de la aplicación del régimen en las afecciones para las cuales se ha revelado eficaz en una proporción variable de casos, obtenidos en la práctica médica del doctor Seignalet.

Resultados del régimen en las enfermedades autoinmunes

ENFERMEDADES	N.° de enfermos	Remisiones completas	Mejoras netas	Mejoras del 50 %	Fracasos	Proporción de éxitos
Poliartritis reumatoide	297	127	100	18	52	82 %*
Espondilitis anquilosante	122	76	40		6	95 %
Reumatismo psoriásico	39	15	10	11	3	92 %*
Pseudo poliartritis rizomélica	17	12	4		1	94 %*
Enfermedad de Still	8	5		1	2	
ACJ poliarticular	4		2		2	
ACJ oligoarticular	1				1	
Reumatismo palindrómico	4	3		1		
Reumatismo inflamatorio X	15	12		2	1	93 %*
Gougerot-Sjögren	86	15	11	48	12	86 %*
Lupus eritematoso diseminado	20	10	6	3	1	95 %*
Esclerodermia	14		14			100 %
Dermatomiositis	3		3			
Polimiositis	3		2		1	
Conectividad mixta	3	2		1		
Lupus cutáneo	5	1		3	1	
Fascitis de Shulman	1		1			
Enfermedad de Basedow	9	Ninguna recaída, reducción de la exoftalmia				
Tiroiditis de Hashimoto	8			2	6	
Esclerosis múltiple	46	13	20	8	1	98 %*
Enfermedad de La Peyronie	5	3	2			
Miastenia	1			1		
Púrpura trombocitopénica idiopática	5				5	
Hepatitis autoinmune	7	7				
Pénfigo	2	Tiempo insuficiente				
Nefropatía por IgA	8	Bloqueo de la evolución				
Uveítis anterior aguda	14	10	2		2	86 %
Guillain-Barré	1		1			
Neuropatía periférica	9		4	3	2	
Cirrosis biliar primitiva	6	5	1			
Granulomatosis de Wegener	2		2	1		

*Cifra que engloba las mejorías en un 50 %.

Resultados del régimen en las enfermedades de ensuciamiento

ENFERMEDADES	N.º de enfermos	Remisiones completas	Mejoras netas	Mejoras del 50 %	Fracasos	Proporción de éxitos
Fibromialgia	80	58	10	4	8	90 %*
Tendinitis	17	13	2		2	88 %
Artrosis	118	47	52	12	7	94 %*
Osteoporosis	20	Bloqueo de la evolución 70 veces de cada 100				70 %
Gota	6	5		1		
Condrocalcinosis	8	4	4			
Migrañas	57	41	12		4	93 %
Cefaleas	15	11	3		1	93 %
Depresión nerviosa endógena	30	25	5			100 %
Enfermedad de Alzheimer	Efecto preventivo notable					
Enfermedad de Parkinson	11		7	3 (estabilización)	1	91 %
Distonía	1	1				
Diabetes de la madurez	25	20		5		100 %*
Hipoglucemia	16	13		1	2	87 %*
Hipercolesterolemia	70	Disminución del 30 % de la tasa de colesterol				98 %
Espasmofilia	52	46	2	1	3	94 %*
Sobrepeso	100	30	21	21	28	72 %*
Angina de pecho	15	14		1		100 %*
Infarto de miocardio (en prev.)	1.200	5 infartos-número esperado: 28				
Artritis de las extremidades inferiores	3	3				
Aplasia medular	3	1			2	
Dispepsia	63	62		1		100 %*
Litiasis biliar	Efecto preventivo notable					
Glaucoma	6	3	3			
Fibrosis pulmonar idiopática	3		1	1 (estabilización)	1	
Cánceres (en prevención)	3 cánceres-número esperado: 30					

*Cifra que engloba las mejorías en un 50 %.

Resultados del régimen en las enfermedades de eliminación

ENFERMEDADES	N.º de enfermos	Remisiones completas	Mejoras del 90 %	Mejoras del 50 %	Fracasos	Proporción de éxitos
Colopatía funcional	237	233			4	98 %
Colitis microscópicas	5	4			1	
Rectocolitis hemorrágica	8			3	5	
Enfermedad de Crohn	72	62	2	7	1	99 %*
Gastritis	19	18		1		100 %*
Reflujo gastroesofágico	16	6	5		5	69 %
Acné	42	40	2			100 %
Eccema constitucional	43	36	4		3	93 %
Urticaria	34	29	5			100 %
Vasculitis urticariana	4	2			2	
Psoriasis	72	45	7	8	12	83 %*
Prurito	8	7	1			
Bronquitis crónica	42	39		3		100 %*
Asma	85	80		3	2	98 %*
Infecciones ORL recidivantes	100	80			20	80 %
Sinusitis crónica	50	38		8	4	92 %*
Rinitis alérgica	75	71		2	2	97 %*
Rinitis crónica	63	58		3	2	97 %
Conjuntivitis alérgica	30	26	1	2	1	97 %*
Edema de Quincke	27	22	2	2	1	96 %*
Pólipos nasales	6	6				
Aftosis	14	10	4	1		100 %*
Histiocitosis de células de Langerhans	3			3		
Mastocitosis cutánea	2			2		

*Cifra que engloba las mejorías en un 50 %.

Resultados del régimen en las enfermedades complejas

ENFERMEDADES	N.° de enfermos	Remisiones completas	Mejoras del 90 %	Mejoras del 50 %	Fracasos	Proporción de éxitos
Enfermedad de Behçet	12	6	5	1		100 %
SAPHO	5	3	2			

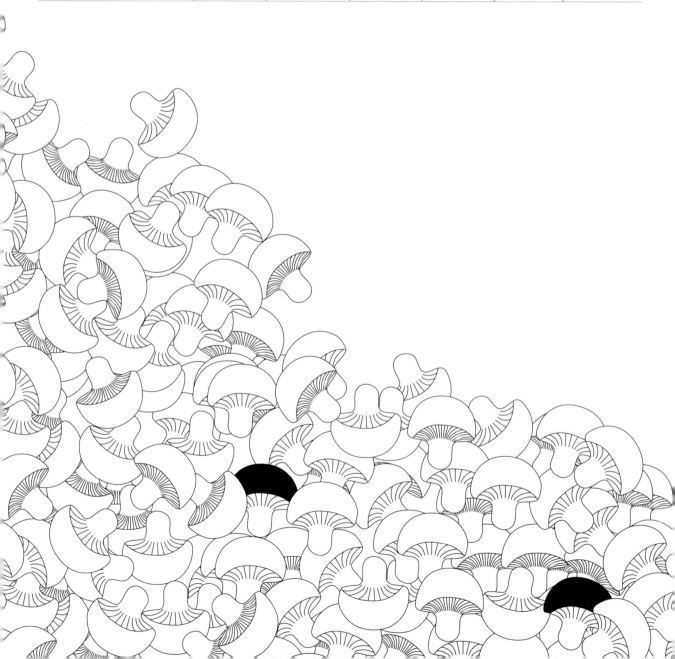

¿Aplicas correctamente el método Seignalet?

- [ ] ¿HAS ELIMINADO LOS PRODUCTOS LÁCTEOS?
- [ ] ¿HAS ELIMINADO LOS CEREALES MUTADOS?
- [ ] ¿EVITAS LAS COCCIONES LARGAS Y A ALTAS TEMPERATURAS?
- [ ] ¿LIMITAS TUS INGESTAS DE CARNE Y GRASA?
- [ ] ¿LIMITAS EL CONSUMO DE ALIMENTOS PROCESADOS?
- [ ] ¿CONSUMES ACEITES VÍRGENES Y CRUDOS DE CALIDAD (OMEGA 3 Y OMEGA 6)?

- [ ] ¿UTILIZAS COMPLEMENTOS ALIMENTICIOS DE FORMA REGULAR?
- [ ] ¿UTILIZAS ACEITES ESTABLES PARA COCINAR (DE OLIVA, COCO, CACAHUETE...)?
- [ ] ¿CONSUMES LA CANTIDAD SUFICIENTE DE FRUTAS Y LEGUMBRES?
- [ ] ¿LIMITAS EL CONSUMO DE AZÚCARES REFINADOS?
- [ ] ¿COMES PARTE DE TU COMIDA CRUDA?
- [ ] ¿ES TU DIETA SUFICIENTEMENTE VARIADA?

Si has respondido afirmativamente a estas 12 preguntas, ¡estás poniéndolo todo de tu parte para que el plan sea efectivo!

Si te gusta cocinar y te gusta cuidar lo que comes, el método Seignalet te encantará por la calidad y la diversidad de sus propuestas.

Si, por el contrario, le dedicas poco tiempo a la cocina y sueles consumir alimentos procesados, el método te resultará al principio una pequeña revolución. Después de un tiempo de adaptación, te darás cuenta de que prepararte un alimento crudo (incluso congelado) te supone apenas unos pocos minutos. Por lo tanto, aunque vivas con prisas, al menos habrás tomado las riendas de tu alimentación.

Sé paciente y cuídate. El 70 % de los pacientes de Jean Seignalet consiguieron la remisión total de sus enfermedades. ¡Come bien y gana salud!

© del texto: Anne Seignalet.
© de la redacción de las recetas: Anne Seignalet y RBA.
© de las fotografías: RBA/A.J.J. Estudi, S.C.P.: 45, 107, 109, 149, 155, 183; RBA/Ana García: 29, 39, 43, 46, 48, 53, 55, 56, 59, 61, 63, 67, 69, 70, 73, 75, 77, 78, 83, 92, 97, 99, 100, 119, 121, 122, 125, 126, 129, 135, 153, 156, 159, 161, 177; Ciro Aragonés/RBA: 131, 145, 150, 163; Cristina Rivarola/RBA: 111; David Freixa/RBA: 81; Ferran Freixa/RBA: 143; Jaime Ferrer/RBA: 88, 175; Jordi García/RBA: 104; Marc Capilla/RBA: 51; Oriol Aleu/RBA: 84, 91, 132, 184; Philippe Desnerck/RBA: 103; Stella Rotger/RBA: 164, 181; Xabier Mendiola/RBA: 87, 95, 169, 191; Photocuisine/Barret: 146; Photocuisine/Deslandes: 178; Photocuisine/Nicolas Edwige: 12; Photocuisine/Guedes: 15; Photocuisine/Lacroix: 189; Stockfood/Photocuisine: 138; Photocuisine/Ploton: 8, 167, 173; Photocuisine/Studio: 41; Photocuisine/Viel: 170; Stockfood/Eckhardt, Sandra: 31; Stockfood/Eising Studio-Food Photo& Video: 187; Stockfood/Gräfe & Unzer Verlag/Kramp+Gölling: 114; Stockfood/Nicolas Lemonnier: 113; Stockfood/The Picture Pantry: 117; Stockfood/Trothe, Carolin: 34.

Realización editorial: Montse Armengol.
Diseño y maquetación: Dandèlia (www.dandelia.net).

© de esta edición: RBA Libros S.A., 2019.
Avda. Diagonal, 189 - 08018 Barcelona.
rbalibros.com

Primera edición: marzo de 2019.

RBA INTEGRAL
Ref.: RPRA469
ISBN: 978-84-9118-164-4
Depósito legal: B.3.117-2019

Impreso en España • *Printed in Spain*